O DEUS QUE ABRE PORTAS

JOHN ORTBERG

O DEUS QUE ABRE PORTAS
Como identificar e agarrar
as melhores oportunidades

Traduzido por ALMIRO PISETTA

Copyright © 2015 por John Ortberg
Publicado originalmente por Tyndale House Publishers, Carol Stream, Illinois, EUA

Os textos das referências bíblicas foram extraídos da *Nova Versão Internacional* (NVI), da Bíblica Inc., salvo indicação específica.

Todos os direitos reservados e protegidos pela Lei 9.610, de 19/02/1998.

É expressamente proibida a reprodução total ou parcial deste livro, por quaisquer meios (eletrônicos, mecânicos, fotográficos, gravação e outros), sem prévia autorização, por escrito, da editora.

CIP-Brasil. Catalogação na publicação
Sindicato Nacional dos Editores de Livros, RJ

O88d

Ortberg, John
 O Deus que abre portas: como identificar e agarrar as melhores oportunidades / John Ortberg; tradução Almiro Pisetta. - 1. ed. - São Paulo: Mundo Cristão, 2017.
 288 p. ; 21 cm.

 Tradução de: All the places to go... how will you know?
 ISBN 978-85-433-0224-9

 1. Vida espiritual. 2. Espiritualidade. 3. Deus. 4. Fé. I. Pisetta, Almiro. II. Título.

17-39996
CDD: 248
CDU: 2-584

Categoria: Autoajuda

Publicado no Brasil com todos os direitos reservados por:
Editora Mundo Cristão
Rua Antônio Carlos Tacconi, 79, São Paulo, SP, Brasil, CEP 04810-020
Telefone: (11) 2127-4147
www.mundocristao.com.br

1ª edição: maio de 2017

Para Barbara Lynn (Ortberg) Harrison e Barton David
Ortberg, com quem sorrateiramente entrei pelos portões
secretos e pelas portas abertas da infância. A ambos,
que ainda transpõem esses portais corajosamente,
dedico este livro com extrema gratidão.

SUMÁRIO

Agradecimentos — 9
1. Com tantos lugares para ir, como você vai decidir? — 11
2. Pessoas portas-abertas e pessoas portas-fechadas — 31
3. Chega de MDP: superando o *medo de perder* — 67
4. Mitos comuns quando o assunto são portas — 89
5. Porta 1 ou porta 2? — 113
6. Como transpor um limiar — 143
7. O que as portas abertas podem lhe ensinar sobre você mesmo — 171
8. O complexo de Jonas — 191
9. Agradeça a Deus pelas portas fechadas — 221
10. A porta no muro — 241

Posfácio — 261
Notas — 275

AGRADECIMENTOS

Livros, assim como a vida, são produtos de muitas portas abertas. Este é o primeiro livro que preparei com a equipe da editora Tyndale, e sou muito grato pela parceria e pelo prazer de trabalharmos juntos. Ron Beers tem sido uma fonte inesgotável de incentivo, ideias e entusiasmo. Carol Traver traz mais energia e peculiar espirituosidade (no melhor sentido da palavra) do que qualquer autor possa esperar. Jonathan Schindler acrescentou contribuições maravilhosas às ideias apresentadas, bem como ao modo como elas poderiam ser articuladas. Curtis e Sealey Yates têm sido defensores e incentivadores cheios de alegria. Brad Wright e a turma SoulPulse têm sido uma grande fonte de ideias, orientação e profundo conhecimento de sociologia. Durante a redação deste livro, senti-me especialmente grato pela pesquisa clínica à qual fui introduzido no Seminário Teológico Fuller por gente como Neil Warren, Arch Hart, Newt Malony e Richard Gorsuch.

Agradeço aos anciãos e à congregação da Igreja Presbiteriana de Menlo Park, na Califórnia, por me concederem tempo e espaço para escrever. Linda Barker, com quem trabalho nessa igreja, traz ao cotidiano um grau de ordem e alegria sem o qual uma tarefa como esta seria impossível.

Sou muito grato a Nancy — que, pelo que sei, nunca rejeitou nenhuma porta aberta e forçou sua passagem por muitas portas aparentemente fechadas — porque não consigo imaginar outra pessoa ao lado da qual possa caminhar rumo às divinas possibilidades da vida.

Não há palavras suficientes para agradecer a Gerald Hawthorne, que, por décadas, ensinou grego antigo, amizade, riso, amor e fé a tantos alunos na Faculdade de Wheaton.

1
COM TANTOS LUGARES PARA IR, COMO VOCÊ VAI DECIDIR?

Se você tivesse de resumir sua vida em seis palavras, quais seriam elas? Anos atrás, uma revista eletrônica lançou essa pergunta. Inspiraram-se no lendário desafio feito a Ernest Hemingway: escrever uma história de seis palavras. O desafio resultou no clássico: "Vendo: sapatinhos de bebê. Nunca usados".

Em razão da enxurrada de respostas, o *site* da revista quase saiu do ar. Os comentários acabaram virando um livro intitulado *Not Quite What I Was Planning* [Não exatamente o que eu planejava], repleto de breves autobiografias de autores "famosos e obscuros". As histórias variam do engraçado ao irônico, do estimulante ao comovente:

- "Um dente, uma cárie; vida cruel."
- "Complexo de salvador traz muita decepção."

- "Amaldiçoado com câncer. Abençoado com amigos." (Escrita não por uma sábia vovó idosa, mas por um menino de 9 anos com câncer de tireoide.)
- "O médium disse que eu enriqueceria." (De fato, esse autor poderia ficar mais rico se parasse de queimar dinheiro com médiuns.)
- "Segredo lapidar: 'Tinha plano de saúde.'"
- "Não sou bom cristão, mas tento."
- "Eu achava que seria mais influente."[1]

O desafio da limitação a seis palavras está na exigência de você se concentrar no que mais importa, de capturar resumidamente algo significativo. Winston Churchill certa vez mandou um pudim de volta para a cozinha porque a sobremesa "carecia de um tema". Não quero que minha vida seja como o pudim de Churchill.

É muito interessante pensar sobre o que os personagens bíblicos poderiam escrever em suas autobiografias de seis palavras. Acho que elas girariam em torno da intersecção da história pessoal de cada um com a história de Deus. Todos se inspirariam na oportunidade divina que Deus lhes apresentara e na resposta —"sim" ou "não" — que definiu a vida deles.

- Abraão: "Deixei Ur. Tive Isaque. Sorriso perene".
- Jonas: "'Não.' Tempestade. Punição. Baleia. Vômito. 'Sim'".
- Moisés: "Sarça ardente. Dez Mandamentos. Charlton Heston".
- Adão: "Abri os olhos. Cadê minha casa?".
- Sadraque, Mesaque e Abede-Nego: "O rei esquentou. O fogo esfriou".

- Noé: "Odiei a chuva. Amei o arco-íris".
- Esaú: "Pelo menos o cozido estava bom".
- Ester: "Beleza seduz. Mardoqueu induz. Israel reluz".
- Maria: "Manjedoura. Dor. Alegria. Cruz. Dor. Alegria".
- Filho pródigo: "Atrevido. Arrependido. Pai querido. Irmão ressentido".
- O jovem rico: "Jesus chamou. Saí triste. Continuo rico".
- Zaqueu: "Subi na figueira. Baixinho, pobre, feliz".
- Mulher apanhada em adultério: "Então ele veio. Largaram as pedras".
- O bom samaritano. "Eu cheguei. Eu vi. Eu parei".
- Paulo: "Damasco. Cego. Sofrer. Escrever. Mudar mundo".

"Não exatamente o que eu planejava" é a autobiografia de seis palavras que qualquer um desses personagens poderia ter escrito. Em nenhum dos casos eles poderiam ter previsto para onde a vida os levaria. Foram interrompidos. Ou uma oportunidade lhes foi apresentada, ou uma ameaça de perigo, ou as duas coisas. É assim que funciona a vida. Não somos nem autores nem marionetes em nossa história de vida; agimos, de certo modo, em parceria com uma sina, um destino, uma circunstância ou providência. E os autores das Escrituras insistem que, pelo menos em alguns casos — aqueles em que a pessoa assim deseje —, esse parceiro invisível pode ser Deus.

Na Bíblia, essas oportunidades frequentemente parecem vir em pacotes inconfundíveis. Uma sarça ardente. Um anjo que luta. Uma mão que escreve na parede. Uma porção de lã. Uma voz. Um sono. Uma jumenta que fala como o burro de *Shrek*.

Mas as Escrituras trazem outra imagem da oportunidade inspirada por Deus, e com esta eu acho mais fácil me relacionar: é a imagem da possibilidade divina que ainda se apresenta para todo mundo. Amei essa imagem desde que ela me foi apresentada por Jerry Hawthorne, meu professor na faculdade:

> Ao anjo da igreja em Filadélfia escreva: "Estas são as palavras daquele que é santo e verdadeiro, que tem a chave de Davi. O que ele abre ninguém pode fechar, e o que ele fecha ninguém pode abrir. Conheço as suas obras. Eis que coloquei diante de você *uma porta aberta* que ninguém pode fechar. Sei que você tem pouca força, mas guardou a minha palavra e não negou o meu nome".
>
> Apocalipse 3.7-8

Uma porta, dizia o dr. Hawthorne, é uma das imagens mais ricas na literatura. Pode significar segurança ("minha porta está trancada e aferrolhada") ou ocultação ("ninguém vai saber o que acontece atrás de portas fechadas"). Pode significar rejeição ("ela fechou a porta na minha cara") ou descanso (o aposento preferido das mães jovens é o banheiro, onde elas podem trancar a porta e ficar a sós).

Nesse trecho bíblico, porém, a porta não significa nenhuma dessas coisas. Pelo contrário, é uma porta *aberta*, símbolo de "infinitas oportunidades. De ilimitadas chances de fazer alguma coisa que valha a pena; amplas oportunidades de novas e desconhecidas aventuras de um estilo de vida significativo; de chances nunca antes imaginadas de fazer o bem, de valorizar nossa vida para a eternidade".[2]

A porta aberta é a grande aventura da vida, pois significa a possibilidade de ser útil a Deus. A dádiva dessa porta, e nossa reação a ela, são o tema deste livro.

Deus pode abrir uma porta para qualquer pessoa

Meu pai estava perto de virar cinquentão quando um dia, na cozinha, minha mãe lhe perguntou abruptamente:

— John, isso é tudo o que vamos fazer pelo resto da vida? Apenas essa rotina de ir trabalhar e conversar com as mesmas pessoas?

Meu pai, um contador público com sólida carreira, alguém que sempre havia morado em Rockford, Illinois, e nunca tinha pensado em viver em outro lugar, disse:

— Acho que sim.

Contudo, ele começou a se perguntar se era possível haver algo mais.

Muitas vezes, uma porta aberta para outro recinto provoca inicialmente uma sensação de desconforto em relação ao ambiente em que já estamos.

Inesperadamente, por intermédio de minha mulher, meu pai recebeu uma proposta de emprego em uma igreja no sul da Califórnia. Todavia, teria sido uma mudança bastante radical — distando mais de três mil quilômetros do único lugar onde ele sempre havia morado, em um emprego para o qual não estava preparado, com gente que não conhecia. Depois de analisar a proposta, informou aos líderes da igreja que simplesmente não era possível: o salário era baixo demais; a moradia, cara demais; a mudança na carreira, grande demais; a aposentadoria, pequena demais; ele próprio, velho demais; e as pessoas, esquisitas demais.

Foi a decisão correta, pensou ele. Era algo muito arriscado. Soltou um profundo suspiro de alívio e foi para casa.

Mas coisas estranhas começaram a acontecer depois que meu pai disse "não". Certa noite, ele teve um sonho no qual parecia que Deus lhe dizia: "John, se permanecer nesta rota, você nunca semeará nem colherá". Meu pai provinha de uma igreja sueca nada emotiva, nada efusiva, onde as pessoas até falavam com Deus, mas nunca esperavam que Deus falasse com elas. Elas nem conversavam muito umas com as outras. Assim, meu pai acabou não dando grande importância ao sonho.

Quando acordou, bisbilhotou o diário de minha mãe — outra coisa que ele nunca havia feito —, no qual ela havia escrito: "Não sei como orar por John; não acho que ele esteja fazendo o que Deus quer que ele faça".

A consequência de tudo isso foi que ele não quis ir à igreja naquele dia. Ficou em casa, mas acabou vendo um culto na televisão, no qual o pregador disse: "Se a prova é possível, a fé é impossível". Meu pai foi tomado de surpresa, pois almejara uma prova de que, se assumisse aquela nova tarefa, tudo terminaria bem. Mas, se aquele pregador estava certo, tal prova excluiria exatamente o que Deus mais queria: que meu pai mostrasse sua fé.

Dessa forma, na semana seguinte, meu pai foi para a igreja. Era um típico "sermão de três pontos": você deve *abandonar* sua vida pregressa, *acreditar* que as promessas de Deus são confiáveis e *se comprometer* com uma nova jornada.

Meu pai então embarcou em um avião de volta para a Califórnia, mesmo sabendo que o pastor da igreja de lá tinha avisado que eles agora estavam pensando em outros candidatos. Durante o voo, meu pai abriu a Bíblia e leu ao acaso uma passagem em que Deus prometia a seu povo que, se abandonassem seus ídolos de ouro e prata, viria o tempo da semeadura e da colheita.

De certo modo, ele tomou tudo aquilo como uma porta aberta.

Recentemente, minha irmã, meu irmão e eu passamos três dias juntos em família para celebrar o octogésimo aniversário de nosso pai. Ele agora está aposentado, assim como minha mãe, mas eles se transferiram para uma igreja na Califórnia e ambos fizeram parte do quadro administrativo local durante um quarto de século. Essa foi a grande, arriscada e emocionante aventura da vida de cada um deles.

Nós escrevemos oitenta cartões, oitenta lembranças da vida com nosso pai. Foi impressionante ver como muitas lembranças voltaram aos borbotões — a voz dele lendo para nós na infância; as fichas de matemática que ele usava para nos ensinar; o cheiro de sua água-de-colônia Aramis, que eu tomava emprestada quando saía para namorar.

Mas o cartão mais dramático que havia naquele pote de lembranças — a decisão que dividiu sua vida em antes e depois — foi a escolha (que não partiu dele) de entrar por uma porta que ele nunca imaginou e para a qual se sentia despreparado.

"Sei que você tem pouca força", diz Deus à igreja de Filadélfia (Ap 3.8). Os membros daquela igreja talvez não tenham se sentido muito lisonjeados ao ler essa frase. Mas que dádiva saber que portas abertas não se destinam apenas aos especialmente talentosos ou extraordinariamente fortes. Deus pode abrir uma porta para qualquer pessoa.

Deus pode abrir uma porta em qualquer circunstância

Viktor Frankl foi um brilhante médico psiquiatra preso pelos nazistas em um campo de concentração. Tiraram dele seu sustento, confiscaram seus bens, zombaram de sua dignidade e assassinaram sua família. Trancaram-no em uma cela sem nenhuma saída. O aposento em que não há porta aberta é uma prisão. Mas ele descobriu uma porta sobre a qual seus guardas nada sabiam: "Tudo pode ser tirado de um homem, exceto uma coisa: a última das liberdades humanas, ou seja, escolher a própria atitude quaisquer que sejam as circunstâncias, escolher o próprio jeito de ser".[3]

Frankl descobriu que as portas não são somente físicas. Uma porta é uma escolha. Ele descobriu que, quando as circunstâncias lhe fecharam todas as portas visíveis, elas lhe revelaram outras muito mais importantes: as portas pelas quais uma alma pode sair do medo e entrar na coragem, sair do ódio e entrar no perdão, sair da ignorância e entrar no aprendizado. Descobriu que seus guardas estavam de fato mais aprisionados — pela crueldade e ignorância e pela tola obediência à barbárie — do que ele preso ali, entre paredes e arame farpado.

Algumas pessoas aprendem isso e tornam-se livres; algumas nunca enxergam isso e vivem como prisioneiras. Sempre existe uma porta.

Sheena Iyengar, pesquisadora da Universidade de Colúmbia, descobriu que, em geral, uma pessoa toma cerca de setenta decisões conscientes por dia.[4] Isso significa 25.550 decisões por ano. No decurso de setenta anos, o total é de 1.788.500 decisões. Albert Camus disse: "A vida é a soma de todas as escolhas que você faz". Junte todas essas 1.788.500 decisões e descubra quem você é.

A capacidade de reconhecer portas — descobrir a gama de possibilidades que temos diante de nós em todos os momentos e em qualquer circunstância — é uma habilidade que se pode aprender. Isso possibilita a presença e o poder de Deus em cada situação vivida aqui na terra. Quem estuda o comportamento dos empreendedores diz que eles sobressaem em algo chamado "atenção a oportunidades". Eles olham para as mesmas oportunidades como qualquer outra pessoa, mas "percebem, sem procurar, chances até então ignoradas". Mantêm-se "atentos, aguardando, continuamente receptivos a alguma coisa que possa surgir".[5] Talvez exista uma espécie de "atenção a oportunidades divinas" que possamos cultivar.

Às vezes, a oportunidade não implica mudar-se para um novo lugar; significa descobrir uma nova e previamente ignorada ocasião no mesmo e velho local. Em certo sentido, nisso consiste a surpreendente história dos israelitas. A nação de Israel achava que empreendia uma jornada rumo à grandeza nacional, com poderoso exército e abundante riqueza. Em vez disso, conheceu o exílio e a opressão. Mas, estando fechada a porta da grandeza nacional, surgiu uma porta aberta para a grandeza espiritual. Israel mudou a vida moral e espiritual do mundo. Enquanto nações como Assíria, Babilônia e Pérsia surgiram e desapareceram, a dádiva de Israel para a humanidade permanece.

Na Bíblia, a disponibilidade de portas abertas nunca se deve às pessoas às quais elas são indicadas. Tais portas implicam oportunidade, mas no sentido de chance de abençoar alguma outra pessoa. A porta aberta pode ser algo que me deixa empolgado, mas ela não existe só para me beneficiar.

Uma porta aberta não é simplesmente uma imagem de algo bom. Ela implica um bem que nós ainda não conhecemos plenamente. Não oferece uma visão completa do futuro: significa oportunidade, mistério, possibilidade, e não uma garantia.

Deus não diz: "Coloquei diante de você uma rede de proteção".

Não diz: "Coloquei diante de você um conjunto detalhado de instruções que indicam exatamente o que você deve fazer e qual será o resultado exato disso".

Uma porta aberta não significa que tudo será agradável e tranquilo do outro lado. Uma daquelas autobiografias de seis palavras parece até ter sido escrita por Jesus: "Complexo de salvador traz muita decepção". Uma porta aberta não é um plano detalhado ou uma garantia.

É uma porta aberta. Para descobrir o que há do outro lado, você terá de entrar por ela.

Deus pode abrir portas muito discretamente

Muitas vezes, Deus não nos indica a porta a escolher. Essa é uma das mais frustrantes características divinas.

Muitos anos atrás minha esposa, Nancy, e eu nos vimos diante de uma porta aberta. Defrontamo-nos com uma escolha: mudar para o extremo oposto do país — da Califórnia, onde Nancy sempre havia morado, para uma igreja chamada Willow Creek, perto de Chicago. Foi muito difícil decidir entre ir para aquela igreja em Chicago e permanecer na Califórnia. Estávamos no carro, em uma viagem que nos levaria à decisão naquele mesmo dia, exatamente na rodovia em que O. J. Simpson empreendeu a famosa e lenta fuga a bordo de seu Bronco branco.

Eu tendia a optar por Chicago, por pensar que, se não fosse para lá, sempre me perguntaria o que poderia ter acontecido. (Somos marcados pelas portas pelas quais entramos e por aquelas que não atravessamos.) Nancy se inclinava para a Califórnia, porque a igreja de Chicago ficava em... Chicago. Nós pensamos e oramos e conversamos e conversamos um pouco mais. Escolher uma porta raramente é fácil. Assombrava-me o medo de fazer a coisa errada. E se Deus queria que eu escolhesse a PORTA 1 e eu optasse pela PORTA 2? Por que ele não tornara a escolha mais simples?

Nós nem sempre ficamos sabendo por qual porta temos de entrar. Jesus diz à igreja de Filadélfia: "Eis que coloquei diante de você uma porta aberta" (Ap 3.8). Mas não especifica qual é essa porta. Só posso imaginar as perguntas dos membros da igreja: "Como vamos saber?", "Temos de fazer uma votação sobre isso?", "Que acontece se entrarmos pela porta errada?".

Esse tem sido um lado irônico e muitas vezes doloroso de minha vida. Deus abre portas; mas, depois, ele não parece me dizer por quais delas devo entrar.

Venho de uma longa linhagem de pregadores, com um vasto repertório de relatos sobre como eles receberam seu "chamado". Meu bisavô, Robert Bennett Hall, fugiu de um orfanato aos 12 anos e acabou trabalhando para um comerciante, com cuja filha se casou. Um dia ele estava varrendo a loja e, então, recebeu o chamado. Largou a vassoura, foi para casa e disse à minha bisavó que fora comissionado para ser um pregador.

Meu cunhado, Craig, estava trabalhando em uma mercearia quando recebeu o que para ele fora uma inconfundível convocação para o pastoreio. Craig recebeu seu chamado na seção de alimentos congelados!

Eu nunca recebi um chamado — pelo menos não como esses. Já estive algumas vezes em mercearias, mas nunca recebi um chamado. Levei alguns anos para entender que Deus talvez tenha bons motivos para deixar que nós mesmos façamos nossas escolhas em vez de nos mandar *e-mails* dizendo-nos o que fazer.

Quando recebi o convite para ir para Chicago, enfrentei o mesmo dilema. Se os pastores mudam de igreja, supõe-se que eles tenham um convite claro, especialmente se a nova igreja é maior do que a antiga. Os pastores geralmente dizem coisas como: "Eu não queria ir para lugar nenhum, mas tive uma estranha sensação de inquietude espiritual, e tive de obedecer". Os pastores quase nunca expressam algo do tipo: "Esta nova igreja é muito maior que a igreja antiga, e isso me deixa entusiasmado".

Mas eu tive pensamentos assim. Sabia que não eram os meus melhores pensamentos, ou os meus únicos pensamentos, mas eles faziam parte do pacote. E tive de lidar com eles. Acho possível que, em parte, seja por isso que Deus trabalha usando portas abertas. Elas nos ajudam a lidar com nossos verdadeiros sonhos e motivos.

Assim, Nancy e eu enfrentamos essa decisão. Enquanto estávamos considerando o que fazer, meu amigo Jon me deu um livro recém-publicado que eu ainda não havia lido. Era de um homem chamado Dr. Seuss, a quem eu nunca havia consultado para orientação profissional. Ele havia escrito:

> Com miolos na cabeça,
> Com dois pés nos seus sapatos,
> Vocês podem definir a direção dos seus atos. [...]
>
> Ah, a que lugares vocês irão! [...]
>
> Exceto quando surgir
> A decisão de não ir.[6]

Ah, a que lugares vocês irão! Essa foi a promessa feita a todos aqueles personagens da Bíblia. Essa é a promessa de Deus em relação à porta aberta.

Acho que as palavras de Dr. Seuss ecoam profundamente no coração de milhares de formandos todos os anos tão somente porque o que importa não é uma garantia acerca do resultado final. O que importa é a aventura da jornada. Foi isso que me impressionou a primeira vez que li esse livro.

Pensei em meus pais e na grande aventura que viveram ao mudar-se de Illinois para a Califórnia. Pensei em como foi forte o remorso que meu pai sentiu ao proferir o assertivo "não", e como foi profunda a alegria dele quando proferiu o arriscado "sim".

Por fim, decidimos ir para Chicago. Não podemos afirmar que tenhamos recebido orientação divina ou indicadores sobrenaturais. Mas escolhemos Chicago porque a aventura do "sim" parecia mais instigante do que a segurança do "não".

Na Bíblia, são muito poucas as vezes em que Deus se aproxima de uma pessoa e diz: "Fique". Ele quase nunca interrompe alguém para lhe pedir que permaneça em um contexto de segurança, conforto e familiaridade. Ele abre uma porta e convida a pessoa a entrar por ela.

A espantosa verdade é que este é um momento cheio de oportunidades. O que você poderia estar fazendo neste exato momento e não está? Você poderia estar aprendendo a falar mandarim. Poderia estar treinando para uma maratona. Poderia estar se conectando a um *site* de relacionamentos, e talvez encontrando o amor de sua vida. Poderia estar contando a um amigo um segredo que você jamais contou a outra alma viva. Poderia estar patrocinando uma criança pobre. Poderia estar assistindo a um episódio de sua série predileta ou comprando a faca mais afiada do mundo com base em um anúncio publicitário, ou finalmente marcando aquela consulta com um terapeuta, a que sua mulher vem insistindo que você procure.

Há uma porta aberta.

Mas espere, tem mais! "Porta aberta" não é uma frase que simplesmente descreve uma oportunidade. Uma porta aberta é uma chance, providenciada por Deus, de agir *com* Deus e *para* Deus. Naquela breve passagem endereçada à igreja de Filadélfia, o apóstolo João usa uma expressão maravilhosa. Ele escreve que o que está diante da igreja é uma porta *que foi aberta*. Os autores judeus muitas vezes evitavam escrever a palavra *Deus* diretamente, por reverência. Assim, essa é a maneira de João dizer que a oportunidade oferecida não aconteceu por acaso. Deus interferiu. O que está diante de nós é mais do que algo meramente humano. Não simplesmente portas abertas, mas portas *que foram abertas*.

O começo da história do povo de Deus aconteceu com a inesperada oferta de uma porta que foi aberta. Ela surgiu para um homem chamado Abrão, e integrava a categoria não-exatamente-o-que-eu-planejava. Ao abordar um casal idoso em uma época em que Israel nem sequer existia, Deus deu início a tudo:

Abrão e Sarai, hoje é a data marcada!
Pai Terá e vocês vão botar o pé na estrada.

Sendo nômade errante, você sonhará
Que Sarai noventona seu filho terá.

Marcado pela fé e por uma visão,
Marcado também (ai!) pela circuncisão.

Como estrelas no céu será sua descendência
Apesar da mentira e de sua abrangência.

Com medo e confusão, sentindo-se perdidos,
Haverá longa espera e erros cometidos.

Vocês não saberão que dizer, que fazer,
Mas todos deste mundo sua bênção vão ter.

Com sua difusa fé, muito conseguirão.
Esta é a minha promessa: Ah, a que lugares irão!

E eles foram. Em certo sentido, toda a narrativa bíblica gira em torno desse momento. O autor de Gênesis expressa isso em duas palavras: *Wayyelech Avram*. "Abrão foi."

Não exatamente o que eu planejava.

Ah, a que lugares você irá!

Deus pode usar uma "porta errada" para tornar um coração correto

No Novo Testamento, Tiago diz que, se algum de nós tem falta de sabedoria, deve pedi-la a Deus. Ele não diz que devemos perguntar sobre a porta pela qual devemos entrar, mas sobre as ferramentas para fazer uma escolha sábia.

A vontade primária de Deus para a sua vida não diz respeito às conquistas que você acumula, mas sim à pessoa que você vem a ser. A vontade primária de Deus para a sua vida não diz respeito ao emprego que você deve assumir; nem é primariamente situacional ou circunstancial. Não diz respeito à cidade onde você mora, à possibilidade de você se casar ou à família em que deve se inserir. A vontade primária de Deus para a sua vida é que você se torne uma pessoa magnífica à imagem dele, alguém com o caráter de Jesus. Esse é o principal desejo de Deus para a sua vida. Nenhuma circunstância pode impedir isso.

Todos nós entendemos isso, especialmente os pais. Se você é pai ou mãe, por acaso deseja aquele tipo de filhos aos quais tenha de dizer a vida inteira: "Vista esta roupa. Faça estes cursos. Vá para aquela escola. Candidate-se a este emprego. Case-se com aquela pessoa. Compre esta casa", e eles realizem exatamente o que você disser? ("Não" é a resposta correta neste caso. Não, você não desejaria isso.)

Por quê? Porque seu objetivo principal não é que eles sejam pequenos robôs prontos a executar suas instruções; seu objetivo é que se tornem pessoas de muito caráter e discernimento. A única maneira de fazerem isso é tomarem inúmeras decisões, o que, naturalmente, significa que tomarão muitas decisões erradas. Isso se torna uma maneira básica de aprendizado.

Com muita frequência, a vontade de Deus em relação a você será "Quero que você decida", porque a tomada de decisões é uma parte indispensável da formação do caráter. Deus atua primariamente no ramo da formação do caráter, e não no ramo da criação de circunstâncias.

E Deus atua com portas abertas. Isso implica uma nova maneira de enxergá-lo. Ele prefere o "sim" ao não. Ama a aventura e a oportunidade.

Isso implica uma nova maneira de enxergar a vida. Não devo temer o fracasso. Não devo viver com medo das circunstâncias. Cada momento é uma oportunidade de procurar uma porta que se abre para a intimidade com Deus e para sua presença.

Isso implica uma nova maneira de me enxergar a mim mesmo. Já não sou limitado pela pequenez e pela fraqueza.

O Deus que me abre a porta é também o Deus que sabe que sou pequeno e fraco.

Isso implica uma nova maneira de escolher. Eu já não preciso viver sob a tirania da escolha perfeita. Deus pode usar até o que parece ser a "porta errada", se eu entrar por ela de coração sincero.

Nossa vida está repleta de portas.

Talvez você esteja enfrentando a graduação. Segundo uma pesquisa recente, acima de qualquer outra coisa os jovens adultos querem trabalhar em um emprego que os motive e lhes proporcione autonomia.[7] Você almeja a felicidade, mas talvez ela ainda não tenha aparecido.

Talvez você esteja em um momento de transição. Como nunca, as pessoas estão mudando de profissão, de empresas e de carreiras. Como escolher com sabedoria?

Talvez você viva uma rotina. Sua vida é segura, mas não satisfatória. Você sente um desejo de fazer mais, de ser mais.

Talvez você esteja diante de um ninho vazio. De repente, você agora tem liberdade, tempo e possibilidades de que não dispôs durante algumas décadas. Qual é a melhor maneira de usufruir isso?

Talvez você esteja se aposentando. Mas você sabe que a palavra *aposentadoria* não está na Bíblia, e ainda não está pronto para morrer ou frequentar casas de bingo. O que poderia Deus lhe reservar para o futuro?

Talvez você esteja enfrentando uma rápida mudança. O especialista em orientação profissional Andy Chan observa que, durante a vida, os jovens adultos vão passar, em média, por 29 empregos. Pesquisadores de Oxford prognosticam que nas próximas duas décadas cerca de cinquenta por cento dos empregos que existem hoje serão substituídos pela tecnologia.[8] Como você se adapta a uma realidade mutante?

Talvez você tenha uma paixão. Você viajou para o exterior e constatou uma extrema necessidade. Ou estudou uma situação problemática e quer fazer a diferença? Qual é o próximo passo?

Talvez você seja um estudante tentando decidir em que escola vai se matricular ou que área de concentração escolherá na graduação. Que acontecerá se você escolher uma área que não se enquadra com a carreira pela qual optará adiante? (A propósito, todos escolhem uma área de concentração que não se enquadra com a carreira seguida. Diga a seus pais que não precisam se preocupar.)

Talvez você esteja prestes a se envolver em um relacionamento emocionante ou pense em casamento. Como você sabe se esta é "a pessoa certa"? E se você fizer uma escolha errada?

Ou talvez você tenha se sentido frustrado pela perda de uma oportunidade no passado. Será que Deus ainda lhe reserva outra?

Muitas pessoas se sentem confusas em relação a uma tomada de decisão e à "vontade de Deus para sua vida". Como veremos, aprender a reconhecer portas abertas e a entrar por elas é uma habilidade adquirida. Na maioria das vezes, aprendemos melhor começando com portas pequenas — uma palavra bondosa, um gesto prestativo, uma confrontação arriscada ou uma oração confiante.

Cada manhã é uma porta aberta; cada momento pode tornar-se uma porta aberta. Alguns dentre nós veem as portas e tiram proveito delas, e assim a vida se torna uma aventura divina. Alguns dentre nós recuam ou deixam de enxergar. O aposento em que não há porta aberta é uma prisão. Deixar de tirar proveito da porta aberta é deixar de fazer o trabalho que Deus nos reservou. Se quisermos provar mais do Espírito de Deus em nossa vida, precisamos treinar como descobrir oportunidades divinas e reagir a elas.

Cada porta que você transpõe significa deixar alguma coisa para trás e chegar a algum lugar. Como isso vai mudar sua vida? Qual será o custo? Cada jornada — e a sua se inclui aqui — está repleta de incerteza, mistério, aventura, frustração e surpresa.

Desde o início, o fechado coração humano se opõe às portas abertas por Deus. Abrão disse:

> Onde está esse lugar aonde queres que eu vá?
> Como é que vou saber? E como chegar lá?
>
> Preciso de um diploma ou um roteiro de viagem?
> Preciso de outras coisas que manténs à margem?
>
> Cadê o mapa do plano para a minha vida?
> Como vou convencer minha esposa querida?
>
> Eu aqui, velho, com medo, e tu com coisas a esconder.
> Há detalhes, um monte! Eu preciso saber.

E veja só! O Senhor não disse nada. Deus é notoriamente vago em relação a detalhes como esses, sabedor, como é, de que detalhes demais tirariam a emoção da aventura. Deus queria que Abrão fosse amigo dele, e os amigos confiam um no outro. Não se pode aprender a confiar em alguém sem incorrer em um pequeno risco, em incerteza e vulnerabilidade.

Deus disse a Abrão: "Vá para a terra que eu lhe mostrarei".

Ah, a que lugares vocês irão!

É para lá que a porta aberta conduz. Para o lugar indicado por Deus.

Deus abriu uma porta. Abrão foi. E o resto é história.

Para onde o conduzirão suas portas?

2

Pessoas portas-abertas e pessoas portas-fechadas

Na faculdade em que estudei havia cultos obrigatórios. Monitores carinhosamente apelidados de "espiões da capela" ocupavam bancos especiais de onde controlavam a frequência dos alunos. Assim, a cada semestre, a faculdade precisava descobrir alguma forma sistemática de designar o lugar de cada um nos bancos da capela. Em geral, éramos distribuídos por ordem alfabética, ou por curso, ou por estado de origem. Houve um semestre em que os espiões da capela nos distribuíram de acordo com a classificação obtida no exame vestibular. A informação sobre o critério adotado vazou na terceira semana do semestre. Percebemos que as pessoas poderiam descobrir nosso nível de inteligência observando onde nos sentávamos: notas mais altas à frente, notas mais baixas atrás. A revelação desse fato provocou uma pequena revolução. As autoridades da capela tiveram de realocar todo o corpo discente e descartar os registros de frequência do primeiro mês.

A gente nem se importa se outras pessoas conhecem nosso nível de inteligência, certo?

Bem, a pesquisadora Carol Dweck diz que há dois tipos de pessoas no mundo: um deles se importa muito, e o outro praticamente não se importa nada. E essa diferenciação, por sua vez, tem a ver com ser ou não o tipo de gente que tende a entrar por portas abertas.

Dweck investiga a mentalidade e a habilidade humana para navegar na adversidade. Ela está particularmente interessada em saber como as pessoas lidam com limitações, obstáculos, fracassos e mudanças. Em determinado estudo, ela juntou um grupo de crianças de dez anos e lhes apresentou problemas matemáticos cada vez mais difíceis, apenas para observar como lidariam com o fracasso. A maioria dos participantes ficou desanimada e deprimida, mas alguns tiveram uma reação totalmente diferente. Diante da frustração, uma das crianças esfregou as mãos, estalou os lábios e disse: "Adoro um desafio!".

Outra criança, ao errar um problema de matemática depois do outro, disse: "Sabe, eu esperava extrair alguma lição desses erros".

"O que há de errado com essas crianças?", perguntou-se Dweck. "Sempre achei que ou você lida com o fracasso ou simplesmente não se importa com ele. Nunca achei que alguém *adorasse* o fracasso. Seriam essas crianças alienígenas? Ou estavam aprontando alguma coisa?"[1]

Dweck percebeu que, além de não se sentirem desanimadas diante do fracasso, aquelas crianças não achavam que estavam fracassando. Achavam que estavam *aprendendo*. Ela concluiu que os seres humanos apresentam dois tipos, quase opostos, de mentalidade em relação à vida. Vou chamar um deles de "mentalidade fechada". Os indivíduos de mentalidade fechada acreditam que a vida contém uma quantidade fixa de dons e talentos, e que seu valor pessoal depende de seu nível de talentos e dons. Portanto, sua tarefa consiste em convencer outras pessoas de que eles próprios têm "aquilo", o que quer que "aquilo" seja.

Se é isso que penso sobre a vida, então é óbvio que o ato de entrar por portas abertas é, na maioria das vezes, algo a evitar, porque todas as vezes que se apresenta um desafio, meu valor está em perigo. Talvez eu não tenha bastante "daquilo". Vou tentar organizar minha vida de modo a sempre me sair bem e nunca fracassar. Eu nunca, jamais quero cometer um erro, porque, se cometê-lo, as pessoas poderão pensar que não tenho "aquilo".

Vemos isso cedo na vida. Quando há uma prova importante na escola, as crianças muitas vezes dizem às outras: "Sabe, eu nem estudei para a prova". Por que diriam isso? Porque, agindo desse modo, se tirarem uma nota baixa e alguém descobrir, os colegas não vão considerá-las pouco inteligentes. Continuam inteligentes. Ainda têm "aquilo". E, se tirarem uma nota boa e outros souberem que não estudaram, então ficará evidente que elas têm ainda mais "daquilo".

É por isso que todo mundo na minha faculdade ficou ouriçado ao saber que o lugar designado na capela tinha a ver com a classificação no vestibular — exceto aqueles que ficaram nos bancos da frente. (A propósito, meu lugar era na galeria. Mas isso porque eu não tinha dormido muito na noite anterior à prova. E tem mais: eu realmente não dei tudo de mim. Não que eu me importe com o que você possa pensar, de maneira alguma.)

Dweck disse que há outro jeito de viver a vida, o jeito que se poderia chamar de "mentalidade aberta". As pessoas de mentalidade aberta acreditam que o importante não é a capacidade bruta; o que importa é o crescimento. O crescimento é sempre possível. O compromisso com o crescimento implica aceitar desafios, de modo que o objetivo não está em tentar parecer mais inteligente ou mais competente que os outros. O objetivo é crescer indo além de onde se encontram hoje. Portanto, o fracasso é indispensável; algo de que se colhem ensinamentos.

Em última análise, a fé proporciona a base mais importante para uma mentalidade aberta. A razão pela qual não preciso provar meu valor é que sou amado por Deus, aconteça o que acontecer. A razão de eu poder me manter aberto para o futuro é que Deus já está lá.

Devemos abandonar uma visão portas-fechadas em relação a Deus, à nossa vida e a nós mesmos, se quisermos responder às portas abertas. A mentalidade portas-fechadas pode se disfarçar como prudência ou bom senso, mas, na realidade, é uma recusa a confiar em Deus baseada no medo. A mentalidade portas-fechadas são os irmãos de Davi dizendo que não dá para enfrentar Golias. São os israelitas dizendo a Josué e a Calebe que seus inimigos são como gigantes e os israelitas, como gafanhotos, de modo que seria melhor voltar para a escravidão do Egito. É o jovem rico decidindo que ser discípulo de Jesus seria bom, mas caro demais. Sou eu todas as vezes que escolho acumular riqueza em detrimento da generosidade ou opto por guardar silêncio em detrimento de falar a verdade em amor. Sou eu quando afirmo que acredito em Deus, mas, quando ele diz "Vá", eu fico. Sou "ficoteísta". A mentalidade portas-fechadas parece segura, mas é a mais perigosa de todas, pois deixa Deus do lado de fora.

Ser uma pessoa de mentalidade aberta significa adotar uma mentalidade aberta, juntamente com um conjunto de disciplinas e práticas que nos ajudam a aceitar as portas abertas e a entrar por elas regularmente. Vamos examinar algumas características das pessoas portas-abertas que as tornam mais propensas a transpor as portas que Deus abre.

Prontas ou não, as pessoas portas-abertas sempre estão dispostas

Portas abertas sempre assustam mais do que portas fechadas. Nunca sabemos com certeza o que vai acontecer ao entrarmos por elas.

Quando temos escolhas importantes a fazer — assumir um emprego, mudar de casa, iniciar um relacionamento, ter um bebê —, todos nós queremos saber de antemão "onde estamos nos metendo".

Nunca sabemos.

E isso é uma coisa boa porque, muitas vezes, se soubéssemos onde estávamos nos metendo, simplesmente não nos meteríamos. Frederick Buechner diz: "A chegada de Deus é sempre imprevista, penso eu, e a razão disso, em minha opinião, é que, se ele nos apresentasse alguma espécie de aviso prévio, na maioria das vezes nós sairíamos correndo antes de ele chegar".[2]

A verdade sobre estar pronto é que você nunca está pronto. Quando nossa primeira filha nasceu, Nancy contraiu uma infecção renal. Assim, além de ter acabado de dar à luz, ela estava doente. A certa altura, Nancy começou a se descontrolar: "E se a bebê ficar doente?", "E se um de nós dois a deixar cair ao chão?", "E se nós a disciplinarmos demais?", "E se a disciplinarmos de menos?", "E se tivermos um problema de saúde?", "E se nossa criação atrapalhar o desenvolvimento dela?".

Com muita paciência, expliquei: "Nancy, poderemos ter mais filhos".

Quase todos os pais e mães que conheci, quando levam para casa seu primeiro filho, se apanham pensando: "Não me sinto pronto para isso". Depois, a criança cresce, e chega o dia de ela sair de casa e enfrentar o mundo; mas o mundo é assustador e caro, e o filho diz: "Não me sinto pronto para isso".

E os pais dizem: "Pronto ou não...".

Há toda uma síndrome envolvendo esse medo conhecido como "incapacidade de se lançar". As pessoas muitas vezes têm medo de enfrentar as portas abertas da independência econômica, da escolha vocacional e dos relacionamentos porque não se sentem prontas. Mas o mundo diz: "Estejam vocês prontos ou não, aqui vou eu".

A vida, as oportunidades, os desafios, os relacionamentos, mais tarde a velhice, no fim a morte — todos esses eventos têm um jeito de dizer: "Quer você esteja pronto quer não, aqui estou eu".

A inexorabilidade da vida não significa que a preparação não seja importante. Prefiro contar com um neurocirurgião que tenha alguma experiência a depender de um novato completamente inexperiente. Mas "sentir-se pronto" não é o critério básico para definir os lugares para onde você irá.

Deus diz: "Coloquei diante de você uma porta aberta", e não "Coloquei diante de você um roteiro acabado". Uma porta aberta é um começo, uma oportunidade, não tem um final garantido. Não é um *trailer* do que vai acontecer. Entrar por ela só é possível pela fé.

O "sentir-se pronto" é algo superestimado. Deus está em busca de obediência. Quando o Senhor levou o povo de Israel para a terra prometida, ele *primeiro* os fez entrar no Jordão e *depois* partiu as águas do rio. Se eles tivessem aguardado uma confirmação, ainda estariam parados na margem do rio. A fé cresce quando Deus diz a alguém: "Vá", e a pessoa diz: "Sim".

Talvez a maior porta apresentada na Bíblia seja uma citada no fim do evangelho de Mateus. Jesus manda seus discípulos partirem para mudar o mundo, mas há dois problemas sérios. O primeiro é que eles são apenas onze discípulos. E, durante todo o evangelho, o número doze lembra aos leitores que os discípulos foram escolhidos para que fossem uma imagem das doze redimidas e restauradas tribos de Israel. Doze é o número da integridade, da completude, da prontidão. Mas eles não têm pessoas o suficiente.

Contudo, não se trata apenas do fato de eles estarem em número insuficiente. "Quando o viram, o adoraram; mas alguns duvidaram" (Mt 28.17). O primeiro problema tem a ver com *quantidade*; o segundo, com *qualidade*. Eles não têm discípulos em número suficiente, e aqueles que têm não acreditam o bastante.

O estudioso do Novo Testamento Dale Brunner escreve: "O número onze é manco; não é perfeito como o doze. [...] A igreja que Jesus manda para o mundo é 'onzeada', imperfeita, falível".[3]

Esse é o grupo que Jesus escolheu para mudar o mundo. Ele não diz: "Primeiro, vamos arranjar um número suficiente" ou "Primeiro, vamos conseguir fé suficiente". Ele simplesmente diz: "Vocês irão. Cuidaremos dessa questão de fé e de número enquanto vocês estiverem cuidando da questão da obediência. Eu os estou enviando, prontos ou não".

Na Bíblia, quando Deus chama alguém para fazer alguma coisa, ninguém responde dizendo: "Estou pronto":

- Moisés: "Nunca tive facilidade para falar [...]. Não consigo falar bem" (Êx 4.10).
- Gideão: "Como posso libertar Israel? Meu clã é o menos importante de Manassés, e eu sou o menor da minha família" (Jz 6.15).
- Abraão: "Poderá um homem de cem anos de idade gerar um filho?" (Gn 17.17).
- Jeremias: "Ah, Soberano SENHOR [...] ainda sou muito jovem" (Jr 1.6).
- Isaías: "Ai de mim! [...] Pois sou um homem de lábios impuros" (Is 6.5).
- Ester: "Existe somente uma lei para qualquer homem ou mulher que se aproxime do rei [...] sem por ele ser chamado: será morto" (Et 4.11).
- Jovem rico: "O jovem afastou-se triste, porque tinha muitas riquezas" (Mt 19.22).
- Rute: "Houve fome na terra" (Rt 1.1).
- Saul: (Samuel estava prestes a ungir Saul como rei; contudo, ninguém conseguia encontrar o futuro monarca. Em certa ocasião, alguém perguntou se ele estava presente.) "E o SENHOR disse: 'Sim, ele está escondido no meio da bagagem'" (1Sm 10.22).

Confuso demais, fraco demais, velho demais, jovem demais, pecador demais, perigoso demais, rico demais, pobre demais, bagagem demais... Ninguém nunca diz: "Está bem,

Senhor; estou *pronto*". E Deus nos diz o que sempre disse, o que Jesus afirmou a seus discípulos: "Prontos ou não...".

A verdade é que você não sabe o que consegue fazer até que de fato o faça. O "pronto" virá mais rápido se você já estiver se mexendo. Se você espera para se mexer até estar totalmente pronto, vai esperar até morrer. Jesus não diz: "Vá; você está pronto". Ele diz: "Vá; eu vou com você".

Alguns anos atrás, um amigo me levou ao alto de um monte para uma surpresa. Ele me havia inscrito para um voo de asa-delta nas montanhas San Gabriel. Tinham-me dito que eu só precisava ficar na saliência de um rochedo, olhar lá do alto e depois pular. Se a asa-delta não pairasse no ar... Bem, minha mulher logo estaria saindo com outro namorado.

Então, lá estava eu, em pé na saliência de um rochedo, olhando para baixo. O instrutor me perguntou: "Você está pronto?".

Eu sabia que não estava. Mas estava unido a outra pessoa. Os instrutores fazem você pular junto de mais alguém, e a pessoa com quem eu estava unido estava pronta. Os instrutores gritaram: "Prontos ou não...". E, quando minha parceira de voo foi, eu fui junto.

O que eu não sabia até aterrissar era que aquele era também o primeiro salto daquela moça. Ela era tão inocente que nem sabia sentir medo. E eu pensei: *Nunca mais vou pular de asa-delta com uma garota de dez anos de idade.*

Jesus leva seus amigos para o alto de uma montanha. Não em número suficiente. Não com a fé suficiente. Não importa. O que importa não é saber se eles estão prontos. O que importa é que *ele* está pronto. E você e eu nunca sabemos quando ele está pronto. Ele se encarrega disso.

Pessoas portas-abertas não são barradas pela incerteza

Um dos grandes problemas das portas abertas é que elas nem sempre estão bem demarcadas. Deus faz um chamado, que pode ser claro ou não. Em regra, no caso de Deus, a informação é dada com base no que é preciso saber em determinado momento, e o próprio Deus decide quem precisa saber o que e quando.

Um clássico exemplo disso consta no livro de Atos. A igreja precisa decidir se Deus a está chamando para que inclua os gentios. Depois de muita oração, eles expediram uma carta: "Pareceu bem ao Espírito Santo e a nós..." (At 15.28).

Realmente? "*Pareceu* bem"? O futuro da humanidade inteira está em jogo, e o melhor que sabem fazer é afirmar "*Pareceu* bem..."?

No entanto, os líderes da igreja se sentiram perfeitamente confortáveis ao despacharem essa carta. Deus poderia ter postado um anúncio em uma rede social: "Agora aceitamos candidatos gentios". Mas, aparentemente, de acordo com a própria vontade divina, o povo não precisava saber exatamente qual era a vontade dele. Ao que tudo indica, ele sabia que, se tivessem de pensar, debater e argumentar sobre cada detalhe, eles cresceriam mais do que se tivessem em mãos um memorando descritivo. E, pelo visto, eles não exigiram certeza. Estavam dispostos a agir com obediência sincera.

Desde o início das interações de Deus com a humanidade, ele parece dar informações com base no que é preciso saber em determinado momento. A ambiguidade e a incerteza estão entretecidas na história desde o início.

Os primeiros onze capítulos de Gênesis envolvem grandes temas — Criação, Queda, Juízo —, mas tudo conduz a um momento em Gênesis 12 no qual as coisas se reduzem à menor escala. Deus vai agora apresentar-se a um único indivíduo comum. Não a um rei em um palco gigante; apenas a uma pessoa normal. Poderia ser você. Poderia ser eu. Nós nunca sabemos de antemão a real importância das portas que aparecem diante de nós.

Sabemos que um homem chamado Terá morava em uma cidade denominada Ur. Ele havia nascido lá, mas um dia se mudou. Reuniu sua família (que incluía seu filho Abrão, o qual não tinha descendentes, e sua nora, Sarai) e "juntos partiram de Ur dos caldeus para Canaã. Mas, ao chegarem a Harã, estabeleceram-se ali. Terá viveu 205 anos e morreu em Harã" (Gn 11.31-32).

A história continua:

> Então o SENHOR disse a Abrão: "Saia da sua terra, do meio dos seus parentes e da casa de seu pai, e vá para a terra que eu lhe mostrarei. Farei de você um grande povo, e o abençoarei. Tornarei famoso o seu nome, e você será uma bênção. Abençoarei os que o abençoarem e amaldiçoarei os que o amaldiçoarem; e por meio de você todos os povos da terra serão abençoados". Partiu Abrão, como lhe ordenara o SENHOR, e Ló foi com ele. Abrão tinha setenta e cinco anos quando saiu de Harã. Levou sua mulher Sarai, seu sobrinho Ló, todos os bens que haviam acumulado e os seus servos, comprados em Harã; partiram para a terra de Canaã e lá chegaram.
>
> Gênesis 12.1-5

No relato, Deus diz: "Vá", e há duas partes nesse comando. Sempre há duas partes no "vá" de Deus: *sair de* e *ir para*. Deus diz: "Saia de sua terra (a que lhe é familiar) e do meio de seus parentes, da cultura que o moldou, e da casa de seu pai. Deixe sua casa".

Os primeiros leitores dessa história teriam entendido que, quando Deus visitou a família de Abrão, Ur talvez fosse a maior cidade do mundo. Cerca de dois mil anos antes de Cristo, Ur era *o* grande centro. Toda a riqueza comercial originária da região do Mediterrâneo e levada para a antiga Mesopotâmia tinha de passar por ali. Ur era um lugar de muita riqueza, muito comércio, muita instrução e muita tecnologia. O primeiro código jurídico escrito que deu início à civilização aconteceu justamente nessa cidade. Ur era um bom lugar, e era difícil sair de lá.

Deus disse a Abrão: "Saia de Ur. Vá para a terra que eu lhe mostrarei". Isso é um tanto vago.

As pessoas portas-abertas se sentem confortáveis com a ambiguidade e o risco. Ou, se não se sentem confortáveis, pelo menos decidem não deixar que isso as paralise.

"A terra que eu lhe mostrarei" acabou sendo Canaã. Ora, Canaã era tudo o que Ur não era. Carecia de cultura, de civilização, de desenvolvimento, de agricultura. Era um lugar rústico, difícil. Ninguém que pudesse morar em Ur, a grande capital, se mudaria para Canaã. Seria como alguém se mudando de Manhattan para a cidadezinha de Minot, em Dakota do Norte. (Amigos meus informam que o lema local é "Que sorte, Minot!".)

Ninguém que estivesse em busca de oportunidades sairia de Ur dos caldeus para morar em Canaã. Mas as portas abertas por Deus não são sempre óbvias. Não são projetadas com o objetivo primordial de dar acesso a riqueza ou *status* social. O fato de alguém entrar por portas abertas significa que essa pessoa é capaz de confiar seu futuro a Deus quando o caminho que é chamado a seguir não lhe parece nada óbvio.

A grande pergunta no caso de Abrão é: "Por quê? Por que o senhor quer que eu saia daqui?". O texto não diz isso, mas nós de fato podemos imaginar (e isso diz muito sobre você e sobre mim). Mais adiante na Bíblia, Deus diz a Israel: "Há muito tempo, os seus antepassados, inclusive Terá, pai de Abraão e de Naor, viviam além do Eufrates e prestavam culto a outros deuses. Mas eu tirei seu pai Abraão da terra que fica além do Eufrates e o conduzi por toda a Canaã e lhe dei muitos descendentes" (Js 24.2-3).

Abrão recebera uma herança cultural de idolatria. Do ponto de vista bíblico, o problema com os ídolos não é simplesmente que eles representam erroneamente o *nome* de Deus; é que eles representam erroneamente o *caráter* de Deus. Os ídolos, na perspectiva bíblica, oferecem poder, mas não exigem o que Deus requer: que você "pratique a justiça, ame a fidelidade e ande humildemente com o seu Deus" (Mq 6.8). A idolatria implica um sistema de crenças, atitudes e hábitos para o qual Abrão teria de morrer. Exatamente como nós devemos fazer.

Quando Nancy e eu nos mudamos para Chicago, a mudança a fez empreender uma inesperada jornada espiritual. Ela amava tanto a Califórnia que lhe parecia difícil encontrar Deus em Chicago. "Parece que Deus passou um trator em tudo", disse Nancy. Aos poucos, ela começou a entender que vivia sob as garras de uma idolatria sobre a qual nunca fora alertada: a idolatria do lugar. Entrar por aquela porta aberta a ajudou a desprender-se de um apego que não lhe permitia encontrar Deus em qualquer local.

Ao mesmo tempo, tive muita dificuldade em deixar Nancy debater-se com nossa nova realidade. Queria enquadrá-la ("Pare de choramingar! Seja feliz!"), ou manipulá-la ("Acho que fiz a escolha errada..." — não que eu pensasse que tinha feito isso ou que eu julgasse que ela pensava assim; mas eu achava que poderia envergonhá-la para que ela parasse de choramingar). Entrar por aquela porta aberta me ajudou a exercitar a paciência e a descobrir o modo de conceder a Nancy a chance de ela "não se sentir bem".

A porta aberta muitas vezes tem mais a ver com a mudança de rumo de meu mundo interior do que com a transformação do mundo exterior.

Deus tem de começar ensinando a Abrão toda uma nova maneira de entender o mundo, a fé e sua própria identidade. É por isso que lhe confere um novo nome: "Você era Abrão, mas vou chamá-lo Abraão, o pai de muitas nações, porque você será o homem para o mundo. Todos os povos da terra serão abençoados através de você" (ver Gn 17.5). Deus colocou diante de Abrão uma porta aberta: uma nova identidade, uma nova fé, um novo propósito.

Entrar por portas abertas significa estar disposto a abandonar ídolos. Se Abrão ficasse onde estava, isso seria impossível. Todos os seus velhos relacionamentos, todos os seus velhos padrões e seu velho estilo de vida o prenderiam à idolatria. Ele teria de abandonar tudo o que o afastasse de sua nova vida. Teria de partir para uma viagem com Deus.

O que é que Deus lhe dá? Uma promessa. Apenas uma promessa: "Farei de você um grande povo, e o abençoarei. Tornarei famoso o seu nome" (Gn 12.2).

Isso faz uma referência à história de Babel, em que os seres humanos dizem: "Assim nosso nome será famoso" (Gn 11.4). "Realizaremos conquistas maravilhosas e seremos vistos como gente importante." O Deus das portas abertas convida seus amigos a abandonarem seu projeto de tornar o próprio nome famoso, porque a dignidade só pode ser conferida, jamais conquistada.

Passamos a vida inteira dizendo: "Vou tornar meu nome famoso", mas Deus diz: "Estou fazendo uma coisa maravilhosa no mundo, e vou lhe dar o que você não pode realizar em seu próprio benefício".

Entrar por portas abertas significa que tenho de confiar o meu nome a Deus.

Pessoas portas-abertas são abençoadas para abençoar

Deus diz a Abrão: "Tornarei famoso o seu nome, e você será uma bênção. Abençoarei os que o abençoarem e amaldiçoarei os que o amaldiçoarem" — essa é uma promessa de proteção divina — "e por meio de você todos os povos da terra serão abençoados" (Gn 12.2-3).

Mas essa palavrinha, "bênção", precisa ser resgatada dos clichês das *hashtags* das redes sociais. A linguista Deborah Tannen escreve: "Emprega-se hoje o adjetivo 'abençoado' em contextos em que no passado se poderia dizer 'sortudo'". Erin Jackson, um comediante *stand-up* da Virgínia, diz: "Tem uma garota no *feed* de notícias do meu Facebook que agorinha mesmo postou uma fotografia de seu corpão, e a legenda se resume a uma única palavra: 'abençoada'. Espera aí. Isso é mesmo uma bênção?". A escritora Jessica Bennett observa: "Não há nada melhor do que mencionar a santidade como recurso para se vangloriar da própria vida. Mas chamar algo de 'abençoado' se tornou um termo muito ousado, e quem o usa quer se vangloriar de uma conquista e ao mesmo tempo parecer humilde".[4]

A bênção, para Abrão, não foi uma oportunidade de "humilde ostentação" pelas redes sociais. ("Nem acredito! Todos esses meus rebanhos e descendentes e esposas. Sou um abençoado. #PatriarcaFeliz.") Foi uma oportunidade de conhecer e experimentar Deus, e isso incluiu ser usado pelo Senhor para valorizar outras pessoas. Abrão é chamado a construir sua vida com esta proposta: que ele possa receber uma dádiva de Deus, mas somente se permitir que sua vida se torne uma dádiva para outros.

Confiar nessa promessa de Deus conduz a uma dinâmica crítica exigida pelo pensamento portas-abertas. Abrão tem uma atitude de abundância mais do que uma atitude de escassez. E isso lhe permite ver e atravessar a porta aberta para que ele se torne uma bênção para outros.

Quando Abrão e seu sobrinho Ló se separam, Abrão permite que Ló escolha o terreno que preferir. Ló escolhe o terreno que parece ser mais fértil ("todo ele bem irrigado [...]; era como o jardim do Senhor", Gn 13.10), dando a Abrão as sobras. No entanto, de imediato Deus responde prometendo abençoar Abrão além de sua capacidade de calcular.

Mais tarde, quando Abrão se encontrou com um misterioso sacerdote-rei chamado Melquisedeque, deu-lhe "o dízimo de tudo" (Gn 14.20). Abrão inventou o dízimo. Apesar de Ló ter escolhido o terreno "como o jardim do Senhor", Abrão viveu dentro dos limites da promessa divina de abundância e, consequentemente, abençoou outras pessoas. Entrar por uma porta aberta sempre exige um espírito de generosidade.

E a generosidade deriva de uma atitude de abundância, e não de escassez.

A ligação entre abundância e bênção baseia-se em Deus, que combina as duas coisas. No relato da criação, ficamos sabendo que "Deus criou os grandes animais aquáticos e os demais seres vivos que povoam as águas [...]. Então Deus os abençoou, dizendo: 'Sejam férteis e multipliquem-se! Encham as águas dos mares!'" (Gn 1.21-22). "Quero muitos de vocês", disse Deus aos peixes. "Quando eu olhar para as águas, quero ver peixes por toda parte."

Gosto dessa imagem de Deus abençoando os peixes. Quantos peixes Deus fez? Muitos, muitos peixes. "Um peixe, dois peixes, peixes vermelhos, peixes azuis. [...] Nenhum deles é igual ao outro. Não nos pergunte por quê. Vá perguntar para sua mãe."[5] É por isso que existem tantas coisas: Deus quer abençoar. Isso significa que ele quer ter coisas com as quais possa abençoar.

Essa é a *missio Dei*, a missão de Deus. Costumamos falar sobre declarações de missão. Elas remontam a uma época anterior às corporações ou organizações humanas. A missão começou com Deus. Ele tem uma missão. Foi por isso que criou para si um povo; mas sua missão veio antes do povo. Sua missão veio antes da Bíblia. Ele deu à sua missão uma Bíblia. Ele deu à sua missão um povo. A missão de Deus, o projeto de Deus, é abençoar. As portas abertas são um convite para fazer parte da *missio Dei*.

A razão pela qual amamos as declarações de missão é que fomos criados à imagem de um Deus missionário. A missão dele é abençoar com sua grande abundância. E essa é também a sua missão. Simplesmente abençoar. Onde você deve fazer isso? Aonde quer que vá. Quando deve fazer isso? A resposta está no livro do Dr. Seuss: "Parabéns! Hoje é o seu dia".[6]

Em Gênesis, Deus realiza a criação para ter alguma coisa a abençoar. Muitíssimas vezes Deus abençoa, mas depois chega o pecado e, com este, a maldição. A ideia de *maldição* é mencionada cinco vezes em Gênesis 3—11, em resposta ao pecado; em cada caso, significa perda de liberdade e de vida. Agora, no capítulo 12, Deus começa de novo com esse homem Abrão, e emprega a mesma ideia cinco vezes nessa passagem. Ele está se servindo de um homem para reverter a maldição.

No mundo antigo, a bênção era a forma mais alta de bem-estar disponível aos seres humanos. Os gregos se referiam à feliz existência dos deuses como sendo "abençoada". Para Israel, a bênção incluía não apenas dádivas divinas, mas especialmente vida com Deus. A bênção incluiria todas as áreas da vida de Abrão: sua família, suas finanças, seu trabalho e seu coração. Isso significava que ele não devia apenas *receber* uma bênção; ele devia *ser* uma bênção. De fato, é impossível ser abençoado, no sentido mais amplo, sem tornar-se uma bênção. Uma das mais profundas necessidades de nossa alma é que outros sejam abençoados por meio da vida que levamos. Se você quiser ver a diferença entre ser rico e ser abençoado, observe Ebenezer Scrooge no início e no fim de *Um conto de Natal*, de Charles Dickens. Todo mundo deve ser abençoado quando Abrão transpõe a porta que lhe é aberta. Todo mundo deve ser abençoado quando você e eu fazemos o mesmo.

Pessoas portas-abertas resistem e persistem

Pessoas portas-abertas resistem ao desânimo diante de obstáculos e persistem em sua fidelidade, apesar de longos períodos de espera.

Deus faz uma promessa a Abrão: "Vai agora surgir um povo 'com Deus'. Vai acontecer por meio de você, por meio de um filho concedido a você e a Sarai". Abrão tem razões imediatas para ficar cético. Acabamos de ler isto: "Ora, Sarai era estéril; não tinha filhos" (Gn 11.30).

A alma humana abriga o potencial para esse anseio intenso que envolve criancinhas. No mundo antigo, isso se manifestava em um grau diferente do que se vê hoje em dia. Filhos significavam segurança financeira. Não havia nenhuma rede de garantia das finanças. Não havia aposentadorias ou fundos de pensão. Os filhos eram a continuação do nome da família. Eram uma forma de imortalidade. No caso particular da mulher, considerava-se que ela existia para ter filhos. A incapacidade de conceber um filho não era apenas motivo de decepção; era um estigma, uma vergonha, uma desgraça.

A essa altura do relato, Abrão tem 75 anos. Sua esposa Sarai, 65. Eles estão decepcionados com a vida há muitos anos. Ofereceram sacrifícios a todos os deuses de que têm conhecimento. Rezaram, e muito. Nada. Agora, esse Deus estranho diz: "Vou fazer o que vocês vêm esperando, mas aqui está o que terão de fazer. Deverão ir embora daqui". Como irão? Com fé.

O autor de Hebreus diz: "Pela fé Abrão, quando chamado, obedeceu e dirigiu-se a um lugar que mais tarde receberia como herança, embora não soubesse para onde estava indo". Quando vamos pela fé, nunca sabemos para onde estamos indo. "Pela fé peregrinou na terra prometida como se estivesse em terra estranha" (Hb 11.8-9). Quando vai pela fé, você é um estranho neste mundo, porque sua casa é Deus.

"Pela fé Abraão — e também a própria Sara, apesar de estéril e avançada em idade — recebeu poder para gerar um filho, porque considerou fiel aquele que lhe havia feito a promessa. Assim, daquele homem já sem vitalidade" — gostaram dessa frase? — "originaram-se descendentes tão numerosos como as estrelas do céu e tão incontáveis como a areia da praia do mar" (Hb 11.11-12).

Sempre haverá uma desculpa para atravancar seu caminho. A desculpa de Abrão foi: "Estou velho demais". Não tem importância. Quando recebe o divino "vá", você resiste e persiste. Você vai pela fé.

Recentemente, ouvi uma ótima frase da boca de um pastor chamado Craig Groeschel: "Quem não está morto não está acabado".

Abrão tem 75 anos de idade. Vai ter de esperar mais 24 anos. Ele ainda não tem um filho com Sarai quando Deus vem novamente visitá-lo, 24 anos mais tarde, e repete a promessa. Eis a resposta do profeta: "Abraão prostrou-se com o rosto em terra; riu-se e disse a si mesmo: 'Poderá um homem de cem anos de idade gerar um filho? Poderá Sara dar à luz aos noventa anos?'" (Gn 17.17).

"Na verdade Sara, sua mulher, lhe dará um filho", responde Deus (Gn 17.19). "Não me importa a idade avançada dela." Quem não está morto não está acabado. "De fato", diz Deus a Abraão, "vou lhe dar agora um sinal da minha promessa, da minha aliança, pois quero que você deposite sua confiança não em sua sabedoria, não em sua capacidade de saber o que está acontecendo, predizer o futuro, prever circunstâncias ou projetar resultados finais. Quero que você deposite toda a sua confiança em mim, na vida que tem comigo."

Quem não está morto não está acabado. Na Bíblia, a idade nunca é motivo para que se diga "não" quando Deus diz "vá". Moisés já soma 80 anos quando Deus o chama para ir ter com o faraó e tirar do Egito os filhos de Israel. O Êxodo *começa* quando ele está com 80 anos. Calebe está com 80 anos quando pede a Deus para conquistar mais uma montanha na terra prometida.

Florence Detlor, da igreja onde trabalho, decidiu alguns anos atrás que precisava de um novo desafio. Criou então sua página no Facebook. Florence estava com 101 anos de idade.

Aconteceu que, dentre todos os usuários do Facebook, aproximadamente um bilhão, Florence Detlor era a mais idosa. De fato, ao descobrir isso, Mark Zuckerberg a convidou para fazer um *tour* particular pelo quartel-general da empresa e tirar uma fotografia ao lado dele e de Sheryl Sandberg.

Quando sua primeira entrevista foi ao ar na televisão, em um único dia Florence foi procurada por sete mil pessoas que queriam ser suas amigas. Sete mil pessoas do mundo todo diziam: "Florence, você quer ser minha amiga?". Ela diz que vem enfrentando uma crise de tendinite na tentativa de responder aos pedidos de amizade — aos 101 anos. Quem não está morto não está acabado.

Abraão tentou dizer "não" por ser velho demais. Timóteo tentou dizer "não" por ser jovem demais. Ester tentou dizer "não" por ser do sexo errado. Moisés tentou dizer "não" por ter os dons errados. Gideão tentou dizer "não" por ser da tribo errada. Elias tentou dizer "não" por ter o inimigo errado. Jonas tentou dizer "não" por ter sido enviado para a cidade errada. Paulo tentou dizer "não" por ter a formação errada. Deus continuou dizendo: "Vá, vá. *Você* aí, vá". Às vezes, leva algum tempo para que a promessa de Deus se cumpra. Mas, se você não está morto, esse é um sinal de que você não está acabado.

Pessoas portas-abertas têm menos remorsos

Algumas das histórias mais tristes referem-se a chamados que nunca são respondidos, riscos que nunca são assumidos, obediência que nunca é prestada, generosidade alegre que nunca é oferecida, aventuras que nunca acontecem, vidas que nunca são vividas. Espero que isso não se aplique a você.

Nas ciências sociais, há todo um campo de estudo sobre a psicologia do arrependimento. Uma das mais surpreendentes descobertas é a maneira como o arrependimento muda no decorrer da vida. Na maioria das vezes, arrependimentos de curto prazo implicam o desejo de não ter feito isso ou aquilo: "Gostaria de não ter comido aquela torta de pêssego hipercalórica", "Gostaria de não ter convidado aquela garota para sair só para depois ouvir um 'não'".

O mundo das redes sociais tem até um acrônimo para esse último caso: YOLO (*You only live once*; literalmente, "você só vive uma vez"). Isso está associado à desenfreada busca pela diversão, descartando-se as consequências da razão e da responsabilidade. Com maior frequência, esse termo é usado quando se faz uma opção desastrada. "Quem ia saber que o policial rodoviário era tão intransigente com quem envia mensagens pelo celular enquanto dirige a 120 quilômetros por hora? — YOLO."

Mas, com o passar do tempo, nossa perspectiva muda. Quando envelhecemos, passamos a lamentar aquelas decisões que *não tomamos*. A palavra carinhosa que nunca proferimos. A oportunidade de servir que nunca aproveitamos. O presente caro que nunca demos.

Começamos a vida lamentando as coisas erradas que fizemos, mas a terminamos lamentando as portas abertas pelas quais nunca entramos. O que devemos fazer agora para não viver com remorsos depois? O hábito de transpor portas abertas nos resguarda de arrependimentos futuros. Podemos ter remorsos de curto prazo se fizermos a escolha errada, mas a habilidade de entrar por portas abertas nos resguarda de querer saber o que poderia ter sido.

O divino "vá" entra na vida de cada um, mas nós precisamos estar predispostos a sair de onde estamos antes de aceitarmos esse comando.

Enquanto lia a história de Abrão, eu me perguntava: "E se essa história tivesse acontecido hoje? Em nosso mundo, que terra é conhecida por sua grande concentração de riqueza, tecnologia, mobilidade, educação e cultura?".

Então me ocorreu esta ideia: eu moro em Ur dos caldeus. Moro em um lugar que se orgulha muito de sua riqueza, tecnologia e educação. Posso começar a construir minha identidade e estima em torno disso. Talvez você também possa.

O que dizemos nós quando chega o nosso divino "vá"?

Se eu for, posso estragar tudo; mas, se não for, se não me arriscar, se não tentar, se não disser "sim", nunca farei nada maravilhoso para Deus. Se eu disser "sim", posso fracassar; mas, se não disser, nunca chegarei à terra prometida de uma vida com Deus para ser uma bênção em seu mundo.

Há um detalhe muito intrigante no texto sobre o pai de Abrão: "Terá tomou seu filho Abrão, seu neto Ló, filho de Harã, e sua nora Sarai, mulher de seu filho Abrão, e juntos partiram de Ur dos caldeus para Canaã. Mas, ao chegarem a Harã, estabeleceram-se ali" (Gn 11.31). Terá acompanhou Abrão durante parte da jornada para Canaã, mas depois parou.

Não sabemos ao certo — a passagem não dá muitos detalhes —, mas aqui está o que pode ter acontecido. Terá e a família começam sua história em Ur, o grande centro de riqueza e educação e a terra dos ídolos. Depois, eles partem para essa viagem, que passa pela cidade de Harã e prossegue até Canaã. Mas ficamos sabendo que para Terá, o pai de Abrão, a estrada termina em Harã. Ora, sabemos por meio de outras passagens da Bíblia que Harã era uma cidade muito parecida com Ur. Havia ali muita riqueza. E havia ídolos.

O que está acontecendo? Não temos certeza; o que de fato sabemos, porém, com base no texto, é que Terá parte para Canaã. Mas, quando chega a um lugar muito parecido com Ur, ele se estabelece ali. Nunca mais segue adiante.

Talvez Deus tenha dito a Terá: "Ah, a que lugares você irá!". Mas Terá devolveu: "Não, não acho não. Acho que vou parar por aqui".

Pode ser que Terá pense consigo mesmo: "Se eu for adiante, posso perder tudo o que tenho. Com certeza, terei de largar meus ídolos". Então, ele opta pelo conforto. Mas Abrão opta por dizer sim ao seu chamado.

Em sua vida surgirá um divino "vá", mas você mora em Ur dos caldeus e terá de decidir entre o conforto e o chamado. Terá é uma imagem do que se poderia chamar "a estrada não percorrida".

Eu me pergunto se Terá se arrependeu por ter ficado na segurança e no conforto de Harã. Imagine que você é Terá. Imagine se você vivesse até ser muito idoso, descobrisse que a história de Deus prosseguiu de maneira extraordinária e que seu neto Isaque, o menino chamado Riso, foi o cumprimento da promessa divina. Você lamentaria ter escolhido o conforto em vez do chamado? Ao contrário de Terá, Abrão têm muitos de seus erros registrados nas Escrituras. Mas, ao contrário de Abrão, Terá nunca é chamado amigo de Deus. Talvez as pessoas portas-abertas cometam mais erros, mas elas têm menos remorsos.

Alguns meses depois de me casar com Nancy, em uma época em que eu ainda estava fazendo a pós-graduação, recebi um telefonema no qual me ofereceram uma bolsa para um ano de estudos no exterior. Informei Nancy; depois, fiz uma série de perguntas ao proponente. As aulas no exterior contariam para o meu diploma? (Não.) Eu levaria mais tempo para me formar se aceitasse a bolsa? (Sim.) Haveria dinheiro suficiente para viajar? (Não.) Alguém da escola estaria à nossa espera? (Não.) Nancy teria de trabalhar? (Sim. Como empregada.)

Desliguei o telefone, pensando que Nancy e eu tínhamos muitos prós e contras a considerar antes de decidir. Mas quando fui ao quarto para conversar sobre os detalhes, descobri que ela já tinha feito as malas.

Foi aí que percebi que estava casado com uma mulher portas-abertas. Seu automático está programado para o "sim".

Deus está realizando algo magnífico neste mundo. Quando uma porta se abre, considere os custos; pondere os prós e os contras; aconselhe-se com alguém experiente; observe, na medida do possível, até onde vai a estrada. Mas, no fundo do coração, em seu mais secreto íntimo, tenha um leve viés para o "sim". Cultive a *disposição* de entrar resoluto pelas portas abertas.

Deus se apresentou a Abrão e disse: "Vou abençoar você. Vou tornar seu nome famoso. Farei de você uma grande nação. Protegerei você. Todas as nações do mundo serão abençoadas por meio de você".

Pausa.

Que fez Abrão?
Abrão foi.
Terá se estabeleceu; Abrão foi.
Deus disse: "Vá"; Abrão disse: "Sim".

E aquilo foi suficiente para Deus, ainda que soubesse que Abrão nem sempre faria tudo à perfeição.

Pessoas portas-abertas aprendem sobre si mesmas

Se eu quiser entrar por portas abertas, terei de confiar que Deus pode me usar apesar de minhas imperfeições. Vou aprender sobre mim mesmo, meu lado bom e meu lado ruim, um aprendizado que nunca seria possível de outro modo.

Quando ultrapasso o limiar de portas abertas, muitas vezes descubro que minha fé é realmente mais fraca do que eu supunha antes de entrar. Se tiver de transpor portas abertas, terei de ser humilde o suficiente para aceitar o fracasso.

Um exemplo comum disso acontece quando Israel foge da escravidão no Egito. Depois de se encontrar com Deus na sarça ardente, Moisés se junta a Arão e eles reúnem os escravos israelitas para lhes contar o que Deus disse e lhes mostrar sinais miraculosos. Os israelitas creram e, "quando o povo soube que o Senhor decidira vir em seu auxílio, tendo visto a sua opressão, curvou-se em adoração" (Êx 4.31).

Eles ouvem. Eles creem.

Logo depois disso, no exato momento em que estão saindo do Egito, eles veem o faraó vindo em sua perseguição. Dizem a Moisés: "Foi por falta de túmulos no Egito que você nos trouxe para morrermos no deserto? O que você fez conosco, tirando-nos de lá? Já lhe tínhamos dito no Egito: Deixe-nos em paz! Seremos escravos dos egípcios!" (Êx 14.11-12).

Eles disseram aquilo no Egito? Não! No Egito disseram: "Nós cremos".

Quando o disseram, foram sinceros. Mas tal crença se mostrou inconstante. Quando as circunstâncias mudaram, o que se verificou foi que a crença deles *realmente* não existia.

Fazemos isso o tempo todo. Por exemplo, se você me perguntar, direi que acredito no casamento de serviço compartilhado, no qual o marido e a mulher dividem igualmente as tarefas domésticas. Na realidade (querem saber no que isto vai dar?), eu muitas vezes me surpreendo fazendo muito *mais* do que a parte que me cabe e privo minha esposa da oportunidade de servir.

Também minto muito.

Ou, para dar outro exemplo, considerem como me relaciono com o dinheiro. Jesus disse: "É mais abençoado o dar que o receber. Não fiquem ansiosos em relação a posses ou dinheiro; confiem no Pai que está no céu". Eu penso: "É nisso que acredito. Não confio em dinheiro". Mas depois, se de fato entro por uma porta de generosidade ou de doação que custa algum sacrifício, se a economia despenca, ou se eu de repente tenho menos dinheiro, fico ansioso, estressado e preocupado.

Ou seja, acredito que não confio no dinheiro, desde que ele *não falte*. Mas, quando perco algum (sem esquecer que, mesmo nesse caso, não passarei fome e ainda estarei em condição melhor que a da maioria dos seres humanos do mundo), minhas crenças *reais* se revelam. Ao que parece, eu *de fato* confio no dinheiro. Muito.

Quando entro por uma porta aberta, muitas vezes aprendo verdades sobre mim mesmo que nunca seriam aprendidas se eu ficasse do lado de fora.

Pessoas portas-abertas não são paralisadas por suas imperfeições

Tendemos a enxergar as pessoas que entram pelas portas de Deus como gigantes espirituais, detentores de uma fé que talvez nunca possamos alcançar. Mas há um fabuloso *insight* a ser apreciado ao examinarmos as extraordinárias palavras que Paulo emprega para descrever Abrão:

> Abraão, contra toda esperança, em esperança creu, tornando-se assim pai de muitas nações, como foi dito a seu respeito: "Assim será a sua descendência". Sem se enfraquecer na fé, reconheceu que o seu corpo já estava sem vitalidade, pois já contava cerca de cem anos de idade, e que também o ventre de Sara já estava sem vigor. Mesmo assim não duvidou nem foi incrédulo em relação à promessa de Deus, mas foi fortalecido em sua fé e deu glória a Deus, estando plenamente convencido de que ele era poderoso para cumprir o que havia prometido.
>
> Romanos 4.18-21

Paulo apresenta Abraão como aquele que acredita em Deus, e "isso lhe foi creditado como justiça" (Rm 4.22). Dito de outra maneira, Deus escolheu trabalhar com Abraão porque este se dispunha a confiar mais no Senhor que no fato de ter feito sempre a coisa certa. E o que acontece é que, quando lemos a história de Abraão, até mesmo sua crença em Deus parece bastante imperfeita.

Assim que Abrão reúne a família para acatar o chamado de Deus, eles partem para o Egito, e Abrão diz à esposa: "Você é uma mulher bonita; receio que os egípcios queiram me matar para que alguém possa tomar você como esposa; vamos então mentir e dizer a eles que você é minha irmã".

Ele não parece confiar muito que Deus o protegerá. (Além disso, Sarai tinha 65 anos na época.) Ele se mostra um verdadeiro amigo da onça.

O faraó *de fato* leva Sarai para seu palácio a fim de que ela faça parte de seu harém, dando a Abrão (seu "cunhado") um rebanho de ovelhas, bois e vacas, jumentos, servos e camelos. Em vez de sentir-se culpado e confessar tudo, Abrão simplesmente diz: "Muito obrigado".

O faraó depois descobre que Sarai é esposa de Abrão, e que o Deus de Abrão não está feliz com esse arranjo. É interessante notar que o faraó dirige a Abrão praticamente a mesma pergunta que Deus fez quando interpelou Eva depois da Queda: "O que você fez comigo?" (Gn 12.18; ver Gn 3.13). Em outras palavras, esse faraó pagão está mais preocupado em fazer o que é certo do que Abrão, "homem de Deus".

E não apenas isso, mas, quando Abrão e Sarai estão no Neguebe (mais adiante em Gênesis), ele repete todo o esquema e afirma "ela é minha irmã" pela *segunda vez*.

Por que Deus simplesmente não desiste dele?

Porque, como veremos, a única coisa que Abrão faz certo é que ele não desiste de Deus. Talvez Deus mantenha a porta da oportunidade aberta para nós enquanto mantivermos aberta para ele a porta de nosso coração.

Depois de onze anos de espera, considerando que Deus ainda não tinha providenciado o filho prometido, Sarai diz a Abrão: "Por que você não vai em frente e tem um filho com minha criada Hagar?".

Acaso Abrão diz: "Deus nos livre! Vamos confiar em Deus"?

Não. Ele diz: "Bem, amorzinho, como você quiser". É uma calamidade.

E, quando Deus aparece três anos mais tarde para dizer a Abraão que Sarai terá um filho, qual é a reação dele? "Abraão prostrou-se com rosto em terra; riu-se e disse a si mesmo: 'Poderá um homem de cem anos de idade gerar um filho?'" (Gn 17.17).

E não é só isso; Sara ri consigo mesma ao ouvir a notícia. Então Deus pergunta a Abraão: "Por que Sara riu [...]? Existe alguma coisa impossível para o Senhor?" (Gn 18.13-14).

Acaso Abraão se enche de coragem e diz: "Bem, Senhor, para dizer a verdade, eu mesmo achei aquilo engraçado"?

Não. Ele não diz nada.

Ele tem tão pouca fé que, por duas vezes, finge que Sara não é sua esposa; tão pouca fé que engravida uma empregada; tão pouca fé que mal disfarça um sorriso ao ouvir a promessa de Deus. Será *esse* o homem a respeito do qual Paulo diz "contra toda esperança, em esperança [ele] creu", "sem se enfraquecer na fé", "não duvidou nem foi incrédulo", "foi fortalecido em sua fé", "estando plenamente convencido de que ele [Deus] era poderoso"?

E Paulo era um rabino. Paulo conhecia a história. Então, como explicar seu elogio rasgado a Abraão?

Vamos retroceder e entrar no mundo abraâmico. Quando Abraão disse "sim" a Deus, ele estava começando do zero. Não havia nenhum Antigo Testamento. Quantos dos Dez Mandamentos Abraão conhecia? Nenhum! Não havia nenhuma lei, nenhum templo, nem sacerdotes. Não havia salmos, nem Davi, nem Moisés. Ele não tinha ouvido absolutamente nada sobre Javé. Ele era o produto de uma cultura brutal, supersticiosa.

Aqui está a chave: "Partiu Abrão como lhe ordenara o Senhor" (Gn 12.4).

As Escrituras deliberadamente deixam de apresentar Abraão como um gênio espiritual brilhante que inovou o conceito de monoteísmo ético. Ele estava repleto de ignorância, incerteza, erros e covardia.

Por que sua fé foi considerada robusta? Porque ele resolveu esperar por um filho que só Deus poderia fazer chegar.

Ele não estava predisposto a mentir. "Reconheceu que o seu corpo já estava sem vitalidade" (Rm 4.19). Ele era um senhor idoso, casado com uma senhora idosa, e não havia nenhuma indústria farmacêutica para ajudá-lo.

Abrão não permitiu que sua vida fosse determinada por aquilo que é possível por meio do simples poder humano. Ele partiu quando Deus disse "Vá". Empreendeu uma jornada que só poderia ser bem-sucedida se Deus honrasse sua palavra. Nesse sentido, e talvez *apenas* nesse sentido, Abraão realmente dependeu de Deus.

A história *não* depende da certeza de Abraão. Ele não disse: "Sara, nós temos apenas de *acreditar em Deus* para ter esse bebê. Temos apenas de *exigir* o cumprimento da promessa".

O herói da história não é Abraão. É Deus.

Talvez Terá tivesse uma fé muito mais robusta que a de seu filho Abraão, mas a depositou no lugar errado. Embora Abraão tenha cometido muitos erros, ele agiu corretamente quanto ao principal: não voltou para Ur. Foi para onde Deus o mandara ir.

É melhor ter uma fé pequena em um Deus grande do que ter uma fé grande em um deus pequeno. Foi por isso que Jesus disse que precisamos apenas de uma fé semelhante a um grão de mostarda.

Ouvi certa vez o pastor e autor Tim Keller discursando sobre a fuga do Egito empreendida pelos israelitas. Quando o faraó veio em perseguição ao povo, Deus partiu as águas do mar Vermelho, e os israelitas atravessaram pisando em terra seca. Muito provavelmente, alguns deles se divertiram com isso: "Bem na tua fuça, faraó! Estamos atravessando agora!".

Mas, ao mesmo tempo, outros provavelmente diziam: "A gente vai morrer! Vamos todos morrer!".

Não é a *qualidade* de nossa fé que nos salva, disse Tim. É o *objeto* de nossa fé.

É por isso que Paulo insere esta descrição do Deus em quem Abraão acreditava: "[Abraão] é nosso pai aos olhos de Deus, em quem creu, o Deus que dá vida aos mortos e chama à existência coisas que não existem, como se existissem" (Rm 4.17). O caráter da fé mostrada por Abraão é determinado pelo caráter do Deus em quem ele creu.[7]

O que acontece é que, no fim das contas, o conceito YOLO (você vive apenas uma vez) não se aplica aqui. A única coisa de que Deus precisava para pôr em funcionamento seu projeto de redenção era a confiança de Abraão. Não a perfeição. Não esforços super-humanos. Apenas confiança. Deus consegue trabalhar com isso.

O pior ano da minha vida talvez tenha sido o melhor da vida da minha mulher. Eu tinha convivido por muitos meses com uma profunda depressão e uma sensação de sofrimento que não passava. Parecia-me claro que minha vida profissional seria cada vez menos eficaz. Ao mesmo tempo, Nancy havia assumido um emprego em tempo integral e experimentava um nível de energia e felicidade que eu nunca tinha visto.

Eu me lembro de ficar deitado na cama à noite, ouvindo-a em suas reuniões, no andar de baixo lá em casa, com o pessoal que ela dirigia; escutando risos e palavras de entusiasmo e animado planejamento, tudo muito divertido — e eu me sentindo absolutamente infeliz. Seu energizado sucesso fazia minha penosa incompetência parecer muito mais sombria. Percebi que eu sentia muita inveja.

Uma noite, enquanto lutava com isso, uma pergunta me ocorreu: "Será que quero ser o tipo de homem que precisa que sua mulher tenha menos sucesso para que ele se sinta melhor consigo mesmo?".

Fiquei ali deitado em silêncio por vários minutos, na esperança de uma pergunta mais fácil.

No entanto, eu conhecia a resposta. Muitas coisas não estavam claras para mim, mas eu sabia que não queria ser o tipo de marido que precisa que sua esposa pareça inferior para que ele possa se sentir superior.

E, de um modo estranho, ver a fraqueza e a carência em mim mesmo foi o começo da cura. Ernest Kurtz escreve em *The Spirituality of Imperfection* [A espiritualidade da imperfeição] que, ironicamente, o perfeccionismo é o grande inimigo do crescimento espiritual. Um antigo sábio chamado Macário costumava enfatizar que, se tudo o que fizéssemos significasse progresso, nos encheríamos de vaidade, e a vaidade é a suprema ruína dos cristãos.

Talvez parte da razão pela qual Deus nos permite ver tão claramente as imperfeições dos personagens bíblicos seja nos possibilitar reconhecer com clareza nossas próprias imperfeições. Segundo uma narrativa hassídica, um homem muito rico visita um rabino e confessa que, em seu íntimo, apesar de suas riquezas, ele é extremamente infeliz. O rabino lhe pergunta o que ele enxerga quando olha pela janela, e o homem responde:

— Gente. Gente que vai passando.

O rabino então lhe pergunta o que ele enxerga no espelho, e o homem diz:

— Enxergo a mim mesmo.

— Talvez esse seja o problema — diz o rabino. — Observe que na janela há um vidro, e no espelho também há um vidro. Mas quando ao vidro se soma uma leve camada de prata, você deixa de enxergar os outros e enxerga apenas a si mesmo.[8]

Deus começa o projeto de redenção com um chamado endereçado ao imperfeito Abraão. Em seguida vem Isaque, depois Jacó. E então, pescadores, coletores de impostos, leprosos e prostitutas.

Às vezes, as pessoas responderam "sim" ao chamado e entraram pela porta aberta. E, quando o fizeram, tornaram-se parte da história. Às vezes, as pessoas disseram "não", como aconteceu no caso do jovem rico citado no evangelho. Quando Jesus disse: "Vá, venda tudo o que você tem. Depois venha e me siga" (ver Mt 19.21), o jovem afastou-se triste, pois morava em "Ur dos caldeus" e seu ídolo era o dinheiro. Ele simplesmente não conseguiu criar coragem e entrar pela porta divina.

Tudo começou com a oportunidade que se apresentou a Abrão: "Vá, e todos os povos da terra serão abençoados". E continuou até a época de Jesus: "Vão e façam discípulos de todas as nações, sejam eles chamados 'Buxbaum ou Bixby ou Bray ou Mordecai Ali Van Allen O'Shea'. No fim, após todos os anos que se passaram depois de Abraão, as nações serão abençoadas. 'Cara, você moverá montanhas'!".[9]

A propósito, dr. Seuss não inventou a ideia de mover montanhas. Jesus disse: "Eu lhes asseguro que se vocês tiverem fé do tamanho de um grão de mostarda, poderão dizer a este monte: 'Vá daqui para lá', e ele irá" (Mt 17.20). O que conta não é a qualidade de nossa fé; é o objeto de nossa fé.

No fim de seu ministério, antes de ascender ao céu, Jesus disse a seus alunos, a seus pós-graduandos (entendo que não está de fato no livro, que Mateus se esqueceu de escrever isso; mas tenho muita certeza de que foi o que pretendeu dizer): "Ah, a que lugares vocês irão! Vocês vão correr o mundo. Vocês vão se apresentar perante reis. Vocês não terão dinheiro nenhum e se sentirão escandalosamente felizes. Vocês serão trancafiados no cárcere, e cantarão canções. Vocês serão espancados por sua fé e se considerarão honrados por terem sofrido pelo nome do Senhor. Vocês não terão nada. Não terão nenhum plano de aposentadoria, não terão nenhum FGTS, não terão nenhum plano de saúde, e confiarão em mim até o mais profundo de seu ser".

Depois, Jesus os convidou a partir, como ele ainda nos convida, pois essa é sua missão.

Porque um dia, antes de toda a eternidade, o Pai convidou o Filho a partir: "Filho, você vai deixar o céu. Você vai para uma manjedoura, e vai para uma pequena carpintaria, e vai viajar para o Egito como fugitivo. Você vai frequentar banquetes que nenhum outro rabino jamais frequentaria, junto de coletores de impostos e prostitutas; vai visitar casas onde as pessoas fazem buracos no teto apenas para ter acesso a você, por estarem animadas com a sua chegada. Você vai visitar lugares onde há leprosos. Vai se encontrar com estropiados. Vai se encontrar com cegos. Vai se encontrar com gente pobre. Você vai se encontrar com gente mergulhada no pecado e gente desesperada. Depois, Filho, um dia você vai ser pregado em uma cruz, e vai sangrar; você vai morrer para perdoar os pecados do mundo. Em seguida você vai para um túmulo, mas, então, a morte vai descobrir que ela não pode conter nem deter você. E no terceiro dia a pedra do sepulcro será rolada para o lado, e você vai trazer alegria ao mundo e vai fazê-la alcançar todo lugar onde houver maldição".

Ele ainda chama. Ele ainda envia.

E se vocês disserem "sim"...

Ah, a que lugares vocês irão!

3

Chega de MDP: superando
O *medo de perder*

Vários estudos mostraram que a criação de um perfil pessoal no Facebook tende a deprimir as pessoas.[1] Muitas vezes, queremos usar o perfil no Facebook para realçar nossa imagem, postar fotografias que nos tornam mais atraentes do que realmente somos e omitir falhas a fim de aumentar nossa autoestima. (Ironicamente, é a vulnerabilidade, e não a invencibilidade, que leva às relações humanas que ansiosamente queremos. Talvez fôssemos melhor servidos por um "Fracassobook".) Tornamo-nos curadores de nós mesmos, mas acontece que a criação de um perfil no Facebook aumenta a probabilidade de acabarmos invejando os outros e ver diminuído o nosso valor.

Isso me fez pensar: "Que aconteceria se Deus tivesse uma conta no Facebook?", "Como seria sua página?" "E que tal se ele cuidasse de seu perfil como a maioria de nós o faz?".

O Ser Divino
Status de relacionamento: Trino e serenamente feliz
Número de amigos: Só Deus sabe
Amizades desfeitas: Lista atualmente bloqueada
Fotos: Nenhuma disponível (ver Segundo Mandamento)
Linha do tempo: Sábado, 22 de outubro de 4004 a.C. — Criei o mundo... não criei?
Em que você está pensando: No que não estou pensando?
Postagens recentes:

- Eu impero!
- Estou pensando em escrever outro livro — o meu primeiro ainda é o campeão de vendas de todos os tempos e o primeiro da lista de todos os anos.
- Atualmente tenho mais de um bilhão de adoradores. O que aconteceu com Zeus?
- Vou tirar um dia de folga. Graças a mim, hoje é sexta-feira!

Graças a Deus, quando ele se tornou visível, o rosto que vimos foi Jesus, que se humilhou e serviu aos outros. Graças a Deus, somos chamados a buscar sua face, e não seu perfil no Facebook.

Acontece que essa epidêmica comparação de nossa vida com a dos outros provocou um novo surto que se alastra eletronicamente. Sherry Turkle, uma docente do Massachusetts Institute of Technology (MIT), a denomina FOMO (*fear of missing out*, acrônimo aqui traduzido por MDP, "medo de perder").

Temos medo de que outras pessoas estejam fazendo coisas mais interessantes que nós, ou descobrindo maneiras melhores que as nossas de entrar em forma, economizar dinheiro ou controlar as emoções. Um recente campeão de vendas da atriz e escritora Mindy Kaling tem um brilhante título no estilo MDP: *Is Every One Hanging Out without Me?* [Todo mundo está se divertindo, menos eu?]. Temos medo de que alguma coisa maravilhosa aconteça e nós não participemos dela. Será que escolhemos o emprego errado, ou nos relacionamos com pessoas erradas, ou assumimos compromissos errados, ou escolhemos o evento errado?

Temos medo de não estar acompanhando o crescimento de nossos filhos. Temos medo de estar perdendo o que poderia ser uma grande carreira. Temos medo de estar perdendo oportunidades financeiras das quais outras pessoas se gabam, ou férias extraordinárias que outras pessoas estão usufruindo, ou maravilhosas habilidades que outras pessoas estão adquirindo.

Lemos continuamente na internet sobre maravilhosas experiências que nossos amigos e outras pessoas estão vivendo, às vezes em tempo real, e sentimos cada vez mais medo de que nossa vida seja comparativamente chata e insignificante. Um jeito de lidarmos com isso é postando imagens e experiências que a fazem parecer mais glamorosa do que de fato é, o que, por sua vez, leva outras pessoas a temerem que *elas* é que estão perdendo.

É pior agora porque temos mais escolhas do que nunca. Se você tiver menos de trinta anos, há uma boa possibilidade de que você um dia terá um emprego que ainda nem foi inventado. É pior agora porque temos mais oportunidades do que nunca de nos comparar com os outros. E, muitas vezes, o MDP é alimentado pela comparação. Mas aqui vai um bom conselho: "Nunca compare o que acontece em seus bastidores com o vídeo dos melhores momentos de qualquer outra pessoa".[2]

De certa forma, o MDP está por trás do primeiro pecado da humanidade. A serpente pergunta a Eva: "Foi isto mesmo que Deus disse: 'Não comam de nenhum fruto das árvores do jardim'? [...] 'Deus sabe que, no dia em que dele comerem, seus olhos se abrirão, e vocês, como Deus, serão conhecedores do bem e do mal'" (Gn 3.1,5). Caim e Abel, Jacó e Esaú, Raquel e Lia, Davi e Bate-Seba são todas histórias de pecados causados pelo MDP.

E, contudo, apesar de todos os perigos que envolve, o MDP nos revela algo fundamental sobre nós mesmos. Temos uma fome insaciável de algo mais. Ansiamos por uma vida além daquela que experimentamos neste exato momento. Controlado corretamente, o MDP pode nos conduzir às portas abertas por Deus.

O apóstolo Paulo sentou-se acorrentado, no cárcere, e escreveu sobre um Deus que supera nossa imaginação: "Àquele que é capaz de fazer infinitamente mais do que tudo o que pedimos ou pensamos, de acordo com o seu poder que atua em nós, a ele seja a glória na igreja e em Cristo Jesus, por todas as gerações, para todo o sempre! Amém!" (Ef 3.20,21).

Deus pode fazer o que pedimos.

Deus pode fazer o que pedimos *e o que pensamos*.

Deus pode fazer *tudo* o que pedimos e pensamos.

Deus pode fazer *mais do que* pedimos e pensamos.

Deus é capaz de fazer *infinitamente* mais do que pedimos e pensamos.

Assim é Deus.

O medo de perder está por trás do apelo do maior gênio criativo da história norte-americana. Não estou me referindo a Walt Disney, nem a Steve Jobs, nem a Thomas Edison, mas sim a Ron Popeil, o fundador da companhia de *marketing* Ronco, que criou inventos como os processadores de alimentos Veg-O-Matic, Dice-O-Matic e Dial-O-Matic, e o surpreendente cabelo enlatado, bem como centenas de outras inovações que mudaram a vida de muita gente. Mas sua maior criação não foi nenhuma dessas mencionadas. Foi o *slogan* que invariavelmente surgia em seus anúncios publicitários a altas horas da noite: "Mas espere, tem mais!". Independentemente da maravilha que fosse sua última invenção, independentemente da sedução do último produto apresentado, a imaginação humana sempre se entusiasmava com essa promessa:

Mas espere, tem mais!

Certa vez, Cheryl Forbes disse que os que levam uma vida imaginativa são "pessoas *e-se?*". Elas respondem a ideias e a acontecimentos com uma atitude do tipo *e-se?*. Comportam-se de modo *e-se?*. *E se?* é uma grande ideia, típica de Deus. Nosso Deus pensa: "*E se* eu criar um universo?", "*E se* eu criar pessoas à minha imagem?", "*E se*, quando elas pecarem, eu não desistir delas?".

Jesus aborda as pessoas e nos convida a ser gente *e-se?*. Ele disse a seus seguidores: "Quero que vocês imaginem um reino, o verdadeiro reino mágico. Pensem em um reino no qual os últimos são os primeiros, os menores são os maiores, os servos são os heróis, os fracos são fortes, e os marginalizados são amados e queridos. Imaginem um mundo no qual os estranhos se tornam íntimos, no qual as pessoas que perdem sua vida acabam por encontrá-la, no qual as pessoas que morrem para si mesmas acabam sendo trazidas para a vida. Imaginem que sua pequena e humilhada história pode tornar-se parte de um enredo maior, que acaba bem".

Depois, no momento mais inimaginável da história humana, Jesus disse a si mesmo: "*E se* eu morrer em uma cruz e tomar sobre mim todo pecado, todo sofrimento, toda dor, toda culpa e toda morte que agora oprimem a raça humana?". Foi o que ele fez. Depositaram seu corpo em um túmulo, e, três dias depois, Deus lhe disse: "*E se* agora você se levantar?". Jesus se levantou, e a morte nunca mais foi a mesma. A *vida* nunca mais foi a mesma.

Uma vez levantado do túmulo, Jesus reuniu onze seguidores — gente rude, esquisita, destituída de recursos — e lhes disse: "Mas esperem, tem mais! Tem mais do que vida, e tem mais do que morte. *E se* eu lhes disser que, além do ensino sem igual que lhes transmiti, além do perdão de seus pecados, vou criar uma nova comunidade de irmãos e irmãs que serão como uma família para vocês? Imaginem que vocês vão receber o Espírito Santo para orientá-los e guiá-los todos juntos. Vocês serão enviados por aí, espalhando-se por todo o mundo. No fim, vocês serão assassinados. É óbvio que a morte não pode interromper a existência de vocês com Deus, e ela não pode impedir este sonho. Este movimento, esta comunidade, vai simplesmente continuar a se espalhar até atingir mais gente em mais lugares, abranger mais culturas, e moldar mais vidas do que fez qualquer outro movimento na história humana".

Ele fez isso. Isso de fato aconteceu, e aqui estamos nós. A fé é, entre outras coisas, um ato de imaginação. A Bíblia diz: "Ora, a fé é a certeza daquilo que esperamos e a prova das coisas que não vemos" (Hb 11.1). Isso significa que Deus ainda está em busca de gente *e se?*, porque... Espere, tem mais!

A verdadeira, a profunda razão da existência do MDP é que *fomos* criados para mais coisas, coisas que *estamos* perdendo.

Só que esse "mais coisas" não se refere a mais dinheiro, mais sucesso ou mais experiências impressionantes para serem mostradas no Facebook. Minha fome por mais torna-se insaciável se eu tentar satisfazê-la querendo mais para *mim mesmo*.

Isso nos apresenta uma das mais importantes características registradas na Bíblia acerca das portas abertas. Em termos bíblicos, portas abertas são convites divinos para tornar nossa vida útil e positiva, com a ajuda de Deus, em benefício dos outros. Se eu esquecer esse "em benefício dos outros", minha busca por portas abertas se transforma em mais uma tentativa frustrada de postar algo maravilhoso no Facebook. Frederick Buechner escreveu: "Empreender uma jornada em benefício da salvação de nossa vida é pouco a pouco cessar de viver em qualquer sentido realmente importante, até para nós mesmos, porque é apenas empreendendo uma jornada em benefício do mundo — mesmo quando o mundo nos cansa, torna-se enjoativo e quase nos mata de susto — que pouco a pouco começamos a ganhar vida".[3]

Se for apenas "mais para *mim*", todo "mais" se torna "menos". Narciso procurava um espelho, e não uma porta aberta. O segredo da porta aberta é que, na maioria das vezes, ela aparece quando deixamos de ser obcecados por nosso avanço pessoal e, em vez disso, procuramos oportunidades de amar.

Isso nos leva a uma mulher chamada Rute.

O amor descobre portas que a ambição jamais poderia encontrar

"Na época dos juízes houve fome na terra" (Rt 1.1).

No meio da fome, há uma pequena família: Elimeleque e Noemi e seus dois filhos, Malom e Quiliom. Eles vão morrer de fome. Então, deixam sua moradia e vão para uma terra chamada Moabe.

Os moabitas eram os grandes inimigos de Israel. Eram pagãos. Adoravam ídolos. Não tinham sequer permissão de frequentar o templo e prestar culto em Israel. Assim, um israelita que lesse a história dessa família sabia que se tratava de um relato infeliz. Tratava-se de uma situação ruim. Ninguém gostava dos moabitas.

Depois de dez anos de exílio nesse malfadado país, morrem o pai e os dois filhos da família. Noemi torna-se viúva, sem filhos e sem netos que cuidassem dela na velhice. O nome de seu marido, Elimeleque, significa "Deus é rei". Se Deus é rei, ele tem um jeito estranho de governar.

Ocorre, então, uma sutil guinada na história: "Quando Noemi soube em Moabe que o Senhor viera em auxílio do seu povo, dando-lhe alimento, decidiu voltar com suas duas noras para a sua terra" (Rt 1.6).

Temos o indício de uma pequena porta aberta.

As noras de Noemi, Orfa e Rute, vão com ela. Deixam a pequena cidade em que moram em Moabe e botam o pé na estrada. Mas, quando saem da cidade, Noemi para e diz às noras: "Vão! Retornem para a casa de suas mães! Que o Senhor seja leal com vocês, como vocês foram leais com os falecidos e comigo. O Senhor conceda que cada uma de vocês encontre segurança no lar doutro marido" (Rt 1.8-9). Dito isso, ela beija as noras e as três caem em pranto.

Essa é uma cena realmente comovente. Nada sobra a Noemi para dar às noras. Ela não tem dinheiro nem conhecidos. Não pode ajudá-las. A única coisa que pode fazer é liberá-las do fardo de ter de cuidar dela. Assim, isso é o que lhes dá. Ela afirma: "Vocês vão ter uma probabilidade maior de encontrar um marido se ficarem". Naquela cultura, casar-se não tinha a ver apenas com o amor romântico. Era uma questão de sobrevivência. Envolvia bem-estar econômico.

As jovens, surpreendentemente, se recusam a obedecer. Elas dizem: "Não. Nós vamos ficar com a senhora", mesmo sabendo que Noemi não pode lhes oferecer nenhuma ajuda e que será um fardo para elas.

Então Noemi tenta de novo: "Voltem, minhas filhas! [...] Estou velha demais para ter outro marido. E mesmo que eu pensasse que ainda há esperança para mim — ainda que eu me casasse esta noite e depois desse à luz filhos, iriam vocês esperar até que eles crescessem?" (Rt 1.11-13). No mundo antigo, a ideia era que, se o marido morresse, a família de que ele se originara poderia providenciar outro para a viúva. Noemi está explicando sua situação para as jovens: "Mesmo que eu pudesse ajudar vocês lá em Israel, levaria muito tempo".

Noemi continua: "'De jeito nenhum, minhas filhas! Para mim é mais amargo do que para vocês, pois a mão do S ENHOR voltou-se contra mim!' Elas, então, começaram a chorar bem alto de novo. Depois Orfa deu um beijo de despedida em sua sogra, mas Rute ficou com ela" (Rt 1.13-14).

Note-se que há duas noras nessa situação. Duas portas: uma marcada com "Fico" e outra marcada com "Vou". Duas jovens mulheres: uma chamada Rute e outra chamada Orfa. A segunda atende a Noemi e parte de volta para casa. Orfa fica em Moabe e, desde então, nada mais sabemos sobre ela.

Mas Rute não quer voltar para Moabe. Noemi tenta de novo. "Então Noemi a aconselhou: 'Veja, sua concunhada está voltando para o seu povo e para o seu deus. Volte com ela!'"

(Rt 1.15). Quatro vezes nessa breve passagem Noemi diz a Rute: "Volte", e Rute permanece no vale da decisão. Agora seu destino será decidido. Dos lábios dessa jovem mulher — essa desamparada e paupérrima viúva pagã moabita — provém uma das grandes declarações de devoção de toda a literatura universal, sem falar de toda a Bíblia:

> Não insistas comigo que te deixe e não mais te acompanhe. Aonde fores irei, onde ficares ficarei! O teu povo será o meu povo e o teu Deus será o meu Deus! Onde morreres morrerei, e ali serei sepultada. Que o SENHOR me castigue com todo o rigor, se outra coisa que não a morte me separar de ti!
>
> Rute 1.16-17

Devoção incrível, quase sem precedente.

Duas personagens, duas noras, Orfa e Rute. Orfa faz o que é prudente, prático, esperado e racional. A Bíblia não a critica por isso. De modo nenhum. Orfa opta pelo que qualquer pessoa racional optaria. Faz uma escolha racional. Leva uma vida racional. Rute faz o que somente uma pessoa irracional faria. Rute decide levar uma vida irracional.

Deus não lhe pediu que fizesse isso; ela simplesmente escolheu, e agora passará a viver no reino da parceria com o Senhor. Agora coisas maravilhosas acontecerão a ela — mas ela não sabe disso ao fazer sua escolha. Rute simplesmente aposta no amor tudo o que tem.

Então lhe pergunto: o que você está escolhendo? Sei que vivemos em uma sociedade que lhe dirá: "Seja racional. Seja prudente. Construa uma carreira de sucesso. Tenha segurança. Use todo o seu tempo, energia e recursos". Você pode agir assim se quiser — grande currículo, grandes benefícios — ou, então, pode apostar tudo no amor.

Quando a Companhia de Jesus foi instituída, seus integrantes escolheram como lema uma única palavra usada por seu fundador, Inácio de Loyola, para inspirar feitos heroicos: *magis*, o termo latino para "mais". Esse lema simples capturava "um espírito mais aberto, um impulso indócil de perguntar se não existe um projeto maior a realizar ou alguma forma melhor de enfrentar o problema que se apresenta". O próprio Loyola descreveu o jesuíta ideal como alguém que vive "com um pé levantado", sempre pronto para transpor uma porta aberta. Estima-se que, lá por volta de 1800, um quinto dos europeus estudava em escolas dirigidas por jesuítas.[4] Fomos criados para "mais"; não para *ter* mais amor egoísta, mas para *fazer* mais por amor a Deus.

Mas espere, tem *magis*!

Não precisa parecer algo grandioso.

Observo Hank, um brilhante homem de negócios, reorganizar a vida quando sua mulher recebe um diagnóstico de mal de Parkinson. Horas que eram antes dedicadas a dar ordens e a gerar rendas enormes agora são destinadas a empurrar a cadeira de rodas de sua esposa para lugares que a deixarão alegre. Observo Sara graduando-se em uma escola de elite e escolhendo dedicar seu tempo a ajudar jovens estudantes em organizações de voluntários, onde terá de ganhar seu parco sustento pessoal. Todos os dias heróis anônimos entre nós se sacrificam para cuidar de pais idosos, ou de filhos com síndrome de Down, ou de delinquentes sem pai nem mãe. Muitas vezes, parece que, ao fazer tal escolha, eles estão sacrificando a aventura das oportunidades. Mas *e se*...

"Quando Noemi viu que Rute estava de fato decidida a acompanhá-la, não insistiu mais" (Rt 1.18). Simplesmente percorreram o caminho juntas. É extraordinário. Isso é muito fora do comum, talvez sem precedentes na literatura antiga. Esse é o relato de uma aventura pautada em um relacionamento de camaradagem; e tem como protagonistas duas mulheres. Elas estão lutando contra o mundo. Algo como Telma e Louise viajando juntas de Moabe para Israel. Viver ou morrer: são só as duas até o fim da estrada.

Rute não faz ideia, mas sua escolha lhe abrirá uma porta para que ela se torne parte de uma história maior do que possa imaginar. Seu nome será lembrado por milênios. Ela se tornará um exemplo e uma oração: "Que você seja como Rute". Contudo, ela não escolheu ficar com Noemi por nenhum desses motivos. Rute simplesmente escolheu a oportunidade de amar.

Notar de fato os outros conduz a novas portas

No segundo capítulo da história, Rute e Noemi estão em Israel. "Rute, a moabita, disse a Noemi: 'Vou recolher espigas no campo daquele que me permitir'" (Rt 2.2). No capítulo 1, quando estão em Moabe, ela é simplesmente "Rute". Mas agora é estrangeira, diferente, "outra": "Rute, *a moabita*".

Ela vai para o campo de Boaz, que na verdade é um parente distante de Noemi, cuja situação talvez seja resolvida por ele. É o que ele faz. Agora, a porta do favor divino está aberta para Rute. Boaz toma conhecimento da história do que Rute está fazendo, e ele se comove com o caráter dela. Então a chama para uma conversa particular e lhe diz: "Vá colher em meus campos quando quiser. Pode ir todos os dias. Dei ordens para que ninguém mexa com você. Sei que uma viúva pobre e sozinha poderia ser vulnerável, por isso pedi àqueles caras para que sejam legais contigo".

E ele completa: "Pedi aos trabalhadores para lhe darem água quando você estiver com sede por causa do calor e do trabalho árduo".

É tocante esse cuidado da parte de Boaz. No mundo antigo, e em dois terços do mundo atual, providenciar água é um trabalho realmente pesado, e geralmente é tarefa feminina. As mulheres comumente têm de conseguir água não só para si mesmas, mas também para os homens que trabalham no campo, ou em qualquer outro serviço. Boaz diz: "Eu não apenas disse aos trabalhadores que *você* não precisa conseguir água para *eles* como também os avisei de que *eles* é que têm de providenciar água para *você*, uma viúva estrangeira".

Por ter sido bondosa com Noemi, Rute inadvertidamente desencadeia uma sequência de acontecimentos nos quais Boaz se mostra bondoso com ela. Do começo ao fim da narrativa, a oportunidade de mostrar bondade a alguém que é "estrangeira" transcende os limites que normalmente separariam as pessoas, e as leva a se verem mutuamente sob uma nova luz. Portas se abrem quando eu de fato noto pessoas que, em outras circunstâncias, passariam despercebidas e me preocupo com elas.

Li sobre uma mulher que trancou o carro com a chave dentro dele em um bairro perigoso. Ela tentou arrombar o carro com um cabide, mas não conseguiu. No fim, orou: "Deus, mande alguém para me ajudar". Cinco minutos depois, um carro velho enferrujado parou. Um homem tatuado e barbudo, com uma bandana na cabeça, caminhou na direção dela. Ela pensou: "Deus, tem certeza? Esse aí?". Mas ela estava desesperada.

Assim, quando o homem perguntou se podia ajudar, ela disse:

— Você consegue arrombar meu carro?

— É muito fácil — respondeu ele, que, então, pegou o cabide e em poucos segundos abriu o veículo.

Ela lhe disse:

— Você é um cara muito legal — e lhe deu um forte abraço.

Ao que ele devolveu:

— Não sou um cara legal. Saí da cadeia hoje. Fiquei dois anos preso por furto de automóvel, e faz só duas horas que saí.

Ela o abraçou de novo e gritou:

— Obrigado, meu Deus, por me enviar um profissional!

Quando procuro portas abertas por Deus, começo a perceber as circunstâncias banais da vida como oportunidades de servir aos outros. O periódico *San Francisco Chronicle* publicou em um artigo de primeira página a história de uma motorista de ônibus chamada Linda Wilson-Allen.[5] Linda gosta das pessoas que viajam em seu ônibus. Conhece os usuários habituais. Aprende o nome deles. Fica à espera deles se estão um pouco atrasados, e depois, durante o percurso, compensa o tempo perdido.

Em certa ocasião, uma senhora de 80 anos chamada Ivy vinha carregando com dificuldade algumas pesadas sacolas de feira. Então Linda saiu de seu assento de motorista para carregar as sacolas para dentro do coletivo. Agora Ivy deixa outros ônibus passarem para poder tomar o de Linda.

Linda viu uma mulher no ponto de ônibus. Ela percebeu que a mulher era novata naquela área, e que estava perdida. Faltava pouco para a celebração do Dia de Ação de Graças. Então Linda disse à mulher, chamada Tanya: "Você está aqui sozinha.

Não conhece ninguém. Celebre o Dia de Ação de Graças lá em casa, comigo e com as crianças". Agora, elas são amigas.

O autor da reportagem toma diariamente o ônibus de Linda. Ele afirma que a condutora construiu uma pequena comunidade de bênçãos naquele ônibus, de modo que os passageiros oferecem a ela suas casas de férias. Trazem-lhe vasos de plantas e buquês de flores. Quando descobriram que ela gosta de usar uma echarpe como acessório de seu uniforme, passaram a presenteá-la com peças desse tipo. Um dos passageiros caprichou no presente e lhe deu uma gargantilha de pele de coelho. O artigo diz que Linda pode ser a motorista de ônibus mais benquista desde Ralph Kramden no seriado *The Honeymooners*.

Pense sobre como pode ser ingrata a tarefa de dirigir um ônibus neste nosso mundo: passageiros mal-humorados, panes no motor, engarrafamentos, chiclete nos assentos. Você se pergunta: "Como é que ela consegue ter essa atitude?". "Seu estado de espírito é estabelecido às 2h30 da madrugada, quando ela se ajoelha para orar durante trinta minutos", revela o jornal. "Há muitas coisas para conversar com o Senhor", diz Linda, membro da igreja Glad Tidings em Hayward, na Califórnia.

Quando chega ao ponto final, ela sempre diz: "Ponto final. Adoro vocês. Cuidem-se".

Vocês já ouviram um motorista de ônibus dizer "Adoro vocês"? As pessoas se perguntam: "Onde posso encontrar o reino de Deus?". Vou lhes dizer: podem encontrá-lo no ônibus 45 que roda pelas ruas de San Francisco, na Califórnia. As pessoas se perguntam: "Onde posso encontrar a igreja?". Vou lhes dizer: atrás do volante de um veículo de transporte coletivo.

Convidamos Linda para dar uma palestra em nossa igreja. Pessoas do Vale do Silício (gente com todo tipo de sonho) sentiram-se inspiradas por uma motorista de ônibus a ponto de aplaudi-la de pé. Em seguida, dezenas fizeram fila para conversar com ela. Só porque a porta do ônibus 45 se abre para o reino de Deus.

Portas abertas há em toda parte, todos os dias. E, quando seguimos as orientações divinas, recebemos a bênção de enxergar o mundo e o lugar onde estamos como ele os enxerga.

Portas abertas conduzem a relacionamentos íntimos

Noemi, quando ouve falar da bondade de Boaz, fica de fato impressionada com isso, e concebe a seguinte ideia: "Talvez haja mais do que mera compaixão e generosidade no coração de Boaz". Assim, ela orienta Rute: "Quero que você volte para Boaz durante a noite". Depois lhe diz: "Lave-se, perfume-se, vista sua melhor roupa e desça para a eira" (Rt 3.3).

Noemi está orientando Rute sobre um encontro amoroso. Convém lembrar que não havia regras sobre namoro naquela época dos juízes. Rute segue as sugestões de Noemi e, usando o simbolismo de sua época, convida Boaz a cobri-la com sua capa durante a noite. De fato, é uma cena delicada e emocionante.

Rute está essencialmente propondo casamento a Boaz. Ela sabe que, sendo Boaz um parente de Noemi, se ele gostar dela, Noemi também receberá os cuidados dele. Boaz entende isso, e fica muito comovido. Diz a Rute: "O SENHOR a abençoe, minha filha! Este seu gesto de bondade é ainda maior do que o primeiro, pois você poderia ter ido atrás dos mais jovens, ricos ou pobres!" (Rt 3.10). Isso não significa que Boaz fosse uma espécie de bode velho. A modéstia extrema era considerada cortês no antigo Oriente Próximo. Assim, era normal um homem dizer: "Você poderia ter conseguido homens muito mais bonitos do que eu". Esperava-se que, em seguida, a mulher dissesse: "Não, você é muito mais bonito do que qualquer homem com quem eu possa sonhar". Há uma espécie de negociação nesse diálogo.

Essa é uma bela história. Parte de sua beleza é que Rute e Boaz se sentem atraídos pelo caráter um do outro. A atração física é uma dádiva, mas, quando se está procurando um cônjuge, também deve existir aquela profunda avaliação do caráter do outro. Você pode morar com alguém dotado de imensa beleza exterior e sentir-se muito infeliz. Mas a beleza interior... Ela se manifesta nessa história.

Boaz está de fato comovido. Ele quer que Rute saiba que ele gostaria de avançar, mas precisa esclarecer o caso com outro parente que pode ter um direito prioritário. Então Rute vai para casa, e depois acontece uma cena tocante. Eu gosto disto: "Quando Rute voltou à sua sogra, esta lhe perguntou: 'Como foi, minha filha?' Rute lhe contou tudo o que Boaz lhe tinha feito" (Rt 3.16).

É a palavra "tudo" que me faz imaginar como evoluiu a conversa. Às vezes, eu me encontro por acaso com um amigo — até mesmo um bom amigo — e depois, quando minha mulher me pergunta: "Como vai o Rick? Como está a Sheri? E as crianças?", percebo que não sei qual é a resposta para nenhuma dessas perguntas; e Nancy sempre questiona sobre o que conversamos. (Sobre nada importante, ao que parece.) Mas, na história de Rute, não há esse déficit de detalhes: "Conte-me tudo! O que você estava vestindo? O que ele estava vestindo?

O que você disse? O que disse ele? Ele beijou você? Ele beija bem? Você ficou empolgada? E ele estava empolgado?". É um momento bonito em uma história bonita. Esse desejo de Rute de manter Noemi totalmente informada é mais um pormenor importante do amor dela pela sogra. Compartilhar detalhes era uma forma de compartilhar seu coração. Ela "lhe contou tudo".

Em seguida, Noemi disse a Rute: "Agora espere, minha filha, até saber o que acontecerá. Sem dúvida aquele homem não descansará enquanto não resolver esta questão hoje mesmo" (Rt 3.18). A questão é resolvida, Boaz e Rute se casam, e eles têm um filho. Noemi se torna praticamente uma segunda mãe para o garoto. E eles foram felizes para sempre.

Às vezes, as pessoas ficam tão obcecadas com portas profissionais já transpostas que se esquecem das portas relacionais abertas. Conversei certa vez com um senhor de meia-idade, bem-sucedido em sua profissão, que afirmou realmente querer se casar.

— Algo em vista? — perguntei.

— Bem, houve uma mulher que se mostrou interessada — disse ele.

Ele pediu que sua assistente administrativa marcasse um encontro. Opa!

Todos os corações têm uma porta. Ter a porta de algum coração aberta para você é uma das grandes dádivas da vida. Nesse caso, a boa resposta demanda tempo, energia, vulnerabilidade e discernimento.

A melhor maneira de encontrar corações com portas abertas é simplesmente praticar o amor. Na igreja em que presto meus serviços, um grupo de pessoas da terceira idade decidiu envolver-se com uma escola secundária frequentada por alunos de áreas muito perigosas de San Francisco. Eles têm um grupo de oração, um grupo de apoio aos professores, um grupo de levantamento de recursos, um hospitaleiro grupo de merendeiras e um grupo de professores particulares que eles orgulhosamente dizem ser constituído por caras idosos, de cabelo branco. (Isso não me surpreende. Alguns dos homens mais piedosos que conheço são caras idosos, de cabelo branco.)

Um deles é Grant Smith, de 82 anos. Ele visita o colégio local todas as semanas para dar aulas particulares a adolescentes. Certa semana ele não apareceu, e um de seus alunos perguntou: "Ei, cadê meu amigão?".

Uma porta aberta pode transformar um piloto aposentado, de 82 anos, no amigão de alguém.

O amor abre portas. Um dos maiores exemplos disso que conheci é Louie Zamperini, que correu nos Jogos Olímpicos, sobreviveu por meses em uma jangada no Pacífico, e depois passou anos preso em um campo de tortura durante a Segunda Guerra Mundial. Mesmo tendo superado tudo isso, ele quase viu sua vida arruinar-se por causa da raiva, da dor e do alcoolismo. Então, Louie entregou sua atribulada história para que fizesse parte da história mais ampla de Deus. Toda a comunidade de nossa igreja leu sua biografia em *Outbroken* [Invencível] alguns anos atrás, e, em um fim de semana, nós o convidamos para uma entrevista. Seu interesse e prazer em comunicar-se com o máximo número de pessoas possível era espantoso.

Ele falou da importância de orar pelas pessoas. Depois de voltar da guerra, Louie estava um dia em um clube de golfe em Hollywood quando alguém lhe disse que Oliver Hardy (da famosa dupla de *O gordo e o magro*) queria se encontrar com ele no vestiário. Assim que Louie chegou lá, Oliver saiu do chuveiro correndo, começou a chorar e disse: "Quando você era um prisioneiro de guerra, eu orei em seu favor todos os dias".

Quando as pessoas se aproximavam de Louie, ele imediatamente orava por elas, ali mesmo. "Qualquer um pode orar por alguém", disse ele.

Sua vida era energizada porque ele não a considerava *sua* vida; cada momento era uma oportunidade de conectar-se com alguém, de conhecer alguém, de aprender com alguém, de fazer alguém sorrir. Alguns dias antes do fim de semana em que visitou nossa igreja, ele fraturara uma das pernas e seu médico não lhe permitira voar, de modo que Louie foi levado de carro pelo filho, em uma viagem de sete horas.

Nessa ocasião ele estava com 95 anos.

Como consertar uma história atribulada

Mas espere, tem mais!

Um último detalhe, uma breve moral da história. Um epílogo que surpreenderá todos os israelitas que o lerem.

Rute e Boaz tiveram um filho, e Noemi é como sua segunda mãe. Eles o chamaram Obede, e Obede se torna o pai de Jessé. As últimas palavras do livro afirmam: "Jessé gerou Davi" (Rt 4.22). O *rei* Davi. É extraordinário. Acontece que Davi, o maior rei de Israel, não é 100% israelita. Ele é parcialmente moabita.

Lembre-se, o livro começa assim: "Na época dos juízes", isto é, aquele período violento, opressor e idólatra. Ninguém sabia, mas aquela época tinha seus dias contados. Ninguém sabia, mas um rei estava por vir. Ninguém poderia adivinhar, mas isso aconteceu porque uma viúva moabita pagã amou seu próximo como a si mesma. Ela fez algo irracional com sua vida. Entrou por uma porta aberta.

Em suma, Rute entrou nas bênçãos do reino de Deus. Ela se tornou uma heroína tão grande que seus vizinhos mal sabiam como descrevê-la. "Sua nora, que a ama e que lhe é melhor do que sete filhos!" (Rt 4.15). Naquela cultura particular, uma nora ser melhor do que apenas um filho era algo digno de nota; ser melhor do que *sete* filhos — sendo *sete* o número perfeito — deve ter sido um recorde mundial.

Mas espere, tem mais! Rute tornou-se uma heroína não apenas em sua época, mas seria lembrada por todo o sempre e inspiraria textos escritos. E não apenas no Antigo Testamento. Sua história não termina com o nascimento de seu bisneto Davi. Você se lembra de quem é chamado Filho de Davi no Novo Testamento?

Sim, Jesus.

Adoro isso. O próprio Jesus não é 100% israelita. Ele tem em si um pouco de moabita. A história de Rute se torna parte da história de Jesus.

Em qualquer momento em que você entra por uma porta aberta, sua história e a história de Jesus começam a se misturar, e você se torna parte do trabalho de Deus no mundo. A única maneira de consertar um enredo atribulado é embuti-lo em uma história maior, que começa e termina bem. E, como já se disse uma vez, agora de novo se diz...

Mas espere, tem mais!

4

Mitos comuns quando o assunto são portas

Alguns anos atrás, o técnico do Chicago Bears, Mike Ditka, foi demitido, e seu comentário na primeira coletiva de imprensa foi o seguinte: "Como dizem as Escrituras: 'Isso também passará'". Morei em Chicago, onde "o professor" é uma figura popular, mas não é conhecido como um grande estudioso da Bíblia. Acontece que em parte nenhuma a Bíblia diz "Isso também passará". Parece bíblico, mas de fato não é. Isso acontece com muita frequência.

Quando estava no seminário, eu me envolvi em uma discussão com uma tia de minha mulher. Estávamos em férias, e essa tia disse gostar do versículo bíblico que diz: "Deus ajuda quem se ajuda".

— Isso não está na Bíblia. É exatamente o contrário de toda a concepção da Bíblia, que afirma que Deus nos ajuda; nós *não* podemos nos ajudar — comentei.

— Não só *está* na Bíblia, como também é o meu versículo preferido — ela retrucou.

— Sou seminarista. Aposto vinte dólares que isso não está na Bíblia — respondi.

Ela passou a noite toda procurando o tal versículo. Não conseguiu encontrá-lo, porque foi Benjamin Franklin que disse isso. (Na verdade, atribui-se a frase a Benjamin Franklin, mas não tenho certeza de que tenha sido uma ideia dele. Não tenho sequer certeza de que está certo apostar no que está ou não está na Bíblia, mas aquela foi a única vez em que ganhei dinheiro por ter sido seminarista, de modo que me senti feliz por isso.)

Há uma quantidade surpreendente de frases que as pessoas acreditam estar na Bíblia, mas não estão. Por exemplo: "Deus nunca vai lhe dar mais do que você consegue administrar". Você já ouviu isso? Não está na Bíblia. A Bíblia afirma que Deus não vai permitir que uma pessoa seja tentada acima do que ela pode suportar, mas nunca diz que ele não permitirá que você receba mais do que consegue administrar. O tempo todo as pessoas recebem mais do que conseguem administrar! Eu fico doido quando alguém acha que isso está na Bíblia.

Ou "Poupe a vara e estrague a criança": Não está na Bíblia. Ou "Deus age de maneira misteriosa". É de uma canção antiga, mas não está na Bíblia. Steven Bouma-Prediger, professor de religião do Hope College, diz que em suas aulas ele às vezes cita um versículo da Bíblia tirado de 2Hesitações 4.3. Isso ocorre em aulas sobre a Bíblia em uma faculdade holandesa mantida pela Igreja Reformada, e alguns alunos nem ao menos sabem que não existe na Bíblia o versículo e tampouco o livro citado.

Outro professor, o rabino Shapiro da Middle Tennessee State University, disse que certa vez teve de persuadir um aluno de que o dito "Aquele cão não caçará" não é de fato um versículo de Provérbios. "Em verdade vos digo, aquele cão não caçará." Até que parece algo que a Bíblia afirmaria, mas não está na Bíblia.[1]

Trago isso à baila porque há outra frase que muita gente acha que está na Bíblia, mas não está. "Quando Deus fecha uma porta, ele abre uma janela."

A Bíblia de fato não diz isso. A madre superiora do filme *A noviça rebelde* é quem diz, e não a Bíblia. (A propósito, há mil variações dessa frase. Minha preferida é esta: "Quando Deus fecha uma porta, Julie Andrews abre uma janela".)

O que a Bíblia de fato diz é isto: "O que ele abre ninguém pode fechar, e o que ele fecha ninguém pode abrir" (Ap 3.7).

Longe de mim criticar a madre superiora! (Ela já tem um título difícil de carregar. Será que não poderia ser simplesmente "madre superlegal"?) Mas acho que talvez parte do motivo de gostarmos da versão "ele abre uma janela" é que nos dá uma chance de voltarmos sorrateiramente ao lugar para onde queríamos ir. A versão real da Bíblia reduz consideravelmente nossas opções. A primeira porta fechada na Bíblia surgiu depois da Queda, quando Deus expulsou Adão e Eva do paraíso e "colocou a leste do jardim do Éden querubins e uma espada flamejante que se movia, guardando o caminho para a árvore da vida" (Gn 3.24). Não há nada nessa passagem sobre Deus também abrir uma janela para que Adão e Eva pudessem entrar passando sorrateiramente pelos querubins. Toda a ideia de Deus fechando uma porta caminha paralela à ordem de "Não vá para lá". Há uma razão para ainda orarmos:

"Perdoa as nossas dívidas". De fato, num capítulo adiante, veremos que portas fechadas podem ser uma dádiva tanto quanto portas abertas.

Mas a frustração da porta fechada não fazia parte do quadro antes do pecado e da Queda; e ela terminará quando todas as coisas forem redimidas. Abrir portas para suas criaturas é o que Deus gosta de fazer. Um time de basquete muitas vezes tem um armador que gosta de fazer assistências para que outros jogadores possam conhecer a glória de fazer uma cesta; esse time também precisa de um pivô que goste de bloquear arremessos de adversários. Deus se parece mais com um armador do que com um bloqueador de arremessos. As portas que Deus abre são assim: "infinitas oportunidades de fazer algo que vale a pena; grandes aberturas para novas e desconhecidas aventuras de vida significativa; oportunidades até então inimagináveis de fazer o bem, de fazer nossa vida ter valor para a eternidade".[2]

Mas, precisamente porque as portas dizem respeito ao porvir e a possibilidades futuras — e se entrecruzam profundamente com nossos desejos, envolvendo as maneiras misteriosas pelas quais Deus interage com o mundo —, nossas ideias sobre portas divinas podem estar repletas de equívocos e superstições. Às vezes, estamos apenas satisfazendo desejos levemente espiritualizados: "Se Deus quer que eu me matricule nesta escola que eu de fato quero frequentar, amanhã ele fará o sol surgir no oriente, como um sinal". Às vezes, apelamos à Providência em uma tentativa de negar a realidade: "Você não pode romper comigo; Deus já me disse que você é a pessoa certa". Outras vezes, citamos portas abertas para justificar a satisfação de nossos próprios desejos: "Deus colocou esta gigantesca e luxuosa mansão a nosso dispor para que tivéssemos um lugar agradável para realizar festas da igreja e hospedar missionários itinerantes".

Na Bíblia, há uma diferença imensa entre, de um lado, ter fé em um Deus sobrenatural e, do outro, a tentativa de usar magia ou superstição. O problema da superstição não é apenas o fato de ela recorrer ao que é obscuro, mas sim que ela é a tentativa de usar algum poder ou força sem assumir uma atitude de obediência a um Ser que está preocupado com a justiça e o amor.

Quando tento usar Deus como quem faz a brincadeira do copo para receber mensagens de espíritos — ou uma bola de cristal ou um horóscopo —, estou violando a natureza do relacionamento divino-humano. Assumo o papel de amo, e Deus se torna meu gênio preso em uma garrafa. Transformo em ídolo a obtenção do resultado que almejo. E me afasto do crescimento espiritual, justamente o que Deus mais profundamente quer para mim. A vontade primária de Deus para mim diz respeito à pessoa que me torno, e não às circunstâncias que me cercam.

O programa infantil *Vila Sésamo* costumava apresentar um quadro intitulado "Uma destas coisas não é igual às outras". Imagine esse quadro com três entidades: fé, magia e ciência. Muitas pessoas de hoje diriam que a fé e a magia são iguais pelo fato de compartilharem uma crença no sobrenatural, ao passo que a ciência não faz isso.

Mas, em sentido mais restrito, a magia e a ciência andam de mãos dadas. As pessoas que acreditam que a magia ou a ciência contêm as verdades mais profundas sobre a existência sustentam que nossos problemas maiores situam-se "lá fora". Tanto a ciência quanto a magia nos oferecem um poder que usamos para remodelar nosso mundo exterior como nos aprouver. A fé nos diz que aquilo que mais precisa ser transformado não é o nosso mundo exterior, mas sim a nossa personalidade interior. A fé não tem a ver com eu conseguir o que quero em meu mundo exterior; tem a ver com Deus conseguir o que ele quer em meu mundo interior.

Como transformo portas em etapas de uma jornada de fé mais ampla, e não em exercícios de superstição? Vamos analisar alguns mitos comuns sobre Deus e portas (e conhecer a verdade por trás deles).

"Deus não se envolve com minha vida insignificante"
Um dos mais incapacitantes mitos sobre Deus diz que ele se assemelha a um presidente de empresa, tão ocupado na administração de seu vasto negócio que as atividades de alguém tão pequeno e insignificante como eu não podem ser objeto de sua atenção. Segundo esse mito, eu creio na existência de seres poderosos e influentes que partem para grandes aventuras envolvendo portas divinas, mas não devo esperar algo semelhante para mim. Ou não tenho a espiritualidade que se exige, ou não tenho a importância suficiente.

No Antigo Testamento, um oficial chamado Zorobabel tentou empreender a reconstrução do templo após anos de exílio e negligência. Ele conseguiu apenas um mísero recomeço, que logo foi sufocado pela oposição externa e pela depressão interna. O oficial sentiu-se desanimado e fracassado. Mas, da boca do profeta Zacarias, ele ouviu palavras que estilhaçaram o mito: "Pois aqueles que desprezaram o dia das pequenas coisas terão grande alegria ao verem a pedra principal nas mãos de Zorobabel" (Zc 4.10).

Um menino vai ouvir a palestra de um grande professor. Em termos humanos, não há nada especial nesse garoto. Ele carrega um lanche normal, de cinco pães e dois peixes comuns, preparado por uma mãe nada excepcional. Ninguém na multidão parece menos importante do que ele. E, no entanto, quando os discípulos estavam procurando alimento para ser compartilhado, uma ideia passou pela cabeça do menino. Ele poderia compartilhar o que havia trazido. Podia dar o que tinha. Sua pequena doação, nas mãos do Salvador, se multiplicou além de sua imaginação. Durante dois mil anos essa história tem sido celebrada.

Uma viúva passa diante de uma caixa de esmolas no templo. Deposita ali duas moedinhas; é tudo o que ela tem. Ela sabe que aquela será a menor de todas as doações; que, humanamente falando, não pode fazer nenhuma diferença; que, de seu ponto de vista, é quase uma ousadia. Ela não poderia saber que um homem a estava observando; que ele diria que ela na verdade tinha doado mais do que qualquer outra pessoa. Ela não poderia saber que sua história inspiraria milhões de pessoas a doar bilhões em dinheiro no decurso dos séculos.

Não devemos desprezar o dia das pequenas coisas, pois não sabemos o que é pequeno aos olhos de Deus. O tamanho espiritual não é medido pelos mesmos padrões com que se mede o tamanho físico. Que unidade de medida devemos empregar para medir o amor? Apesar disso, o amor é real, mais real do que qualquer outra coisa. Quando Jesus disse que a viúva doou *mais*, não se tratava apenas de palavras bonitas; tratava-se de uma mensuração espiritualmente correta. Nós apenas ainda não temos aquele seu padrão de medida.

Nenhum projeto é tão grande a ponto de não precisar de Deus. Nenhum projeto é tão pequeno a ponto de não interessar a Deus.

Um dos mais eminentes líderes que já conheci é um homem chamado Steve Hayner. Trata-se de uma pessoa de grande inteligência e habilidade, com um doutorado obtido na Universidade de Saint Andrews e uma combinação de inteligência emocional e astúcia organizacional fora de série. Seu treinamento inicial foi moldado por uma mulher extraordinária chamada sra. Goddard, que, sem "credenciais", tinha o talento de não desprezar coisas pequenas. Steve foi incumbido de enviar bilhetes de agradecimento a pessoas que tinham se apresentado como voluntárias na igreja. A sra. Goddard lhe disse: "Você não pode enviar bilhetes de agradecimento desse jeito; os selos são feios demais. Você precisa conseguir selos que vão embelezar os envelopes e agradar aos destinatários".

Ele poderia ressentir-se por ter de realizar uma tarefa tão banal. Mas, em vez disso, reconheceu uma porta que se abria, um convite a fazer um esforço adicional mesmo que fosse apenas para agradecer às pessoas daquela maneira tão singela.

Assim, Steve Hayner, doutor pela Universidade de Saint Andrews, foi até o correio comprar selos mais bonitos. E ele nunca se esqueceu dessa história, que inspirou milhares de outras pessoas a realizar carinhosamente os menores gestos. Ele avançou até exercer o cargo de diretor executivo de uma organização multinacional chamada InterVarsity Christian Fellowship e, depois, atuar como presidente de uma grande instituição acadêmica.

Alguns meses atrás, Hayner recebeu um diagnóstico de um tipo de câncer grave. Seu mundo, que se expandira tanto, de repente se encolheu, tornando-se muito pequeno. Mas ele reuniu energia suficiente para enfrentar um tratamento, conseguir orar e dizer "Obrigado". No dia de seu aniversário, ele escreveu palavras incríveis sobre como já não conseguia "aproveitar o dia", mas ainda conseguia dar-lhe as boas-vindas.

Quando nascemos, nosso mundo é muito pequeno. À medida que crescemos, ele pode tornar-se muito amplo. Se tivermos uma vida bastante longa e chegarmos a uma velhice bastante avançada, ele vai ficar pequeno de novo. Se não aprendermos a encontrar Deus em nossos pequenos mundos, nunca encontraremos Deus de modo nenhum.

Não despreze o dia das pequenas coisas. Outro daqueles versículos bíblicos que é difícil encontrar diz: "'Gosto de grandiosidade', diz o Senhor". A Madre Teresa costumava aconselhar: "Não tente fazer grandes coisas para Deus. Faça pequenas coisas com grande amor".

Não desconsidere o dia das pequenas coisas, pois assim é o reino de Deus. Uma pequena coisa é como uma semente de mostarda, que parece pequena e insignificante aos olhos humanos, mas no reino será de fato grande. É como o fermento, que no devido tempo vai permear e transformar tudo, embora aos nossos olhos pareça o menor dos ingredientes. Bebês e manjedouras parecem pequenos e insignificantes, mas é assim que Deus vem até nós.

Jesus geralmente fazia pequenas coisas. Conversava com indivíduos obscuros — uma mulher samaritana junto ao poço, uma prostituta desmoralizada, um coletor de impostos. Convivia com crianças tão insignificantes que seus discípulos tentavam enxotá-las. Seu último milagre antes do julgamento e da crucificação foi reimplantar uma orelha decepada.

Não fazemos ideia do que é grande ou pequeno aos olhos de Deus. Mas, com certeza, nunca vou entrar por uma porta "grande" se não me humilhar e assumir a tarefa de discernir todas as pequenas portas e entrar por elas.

Não despreze o dia das pequenas coisas, pois esse também é o dia que o Senhor criou. E esse é o lugar onde vamos encontrá-lo.

"Se não sei qual porta escolher, ou Deus está fazendo alguma coisa errada, ou eu"

Aprendi isso a duras penas. Diante de "grandes portas", poucas vezes a escolha foi simples para mim. Lembro-me que, quando estava tentando escolher uma vocação, eu orava durante horas, sentindo-me frustrado até as lágrimas. "Meu Deus, dize-me apenas o que devo fazer, que eu vou fazer. Não me importa o que seja. Só quero saber."

Silêncio ensurdecedor.

Durante muitos anos, não me dei conta de que eu não estava procurando exatamente descobrir "a vontade de Deus para a minha vida". O que eu de fato procurava era uma forma de me livrar da ansiedade que acompanha a responsabilidade de tomar uma resolução difícil.

Deus é um abridor de portas, mas não é um facilitador celestial. Ele não precisa daqueles doze passos dos programas de recuperação individual; afinal, a quem ele entregaria sua vontade?

Isso é fundamental para entender corretamente a noção de portas abertas: a vontade primária de Deus refere-se à pessoa que você se torna.

O apóstolo Paulo diz que Deus "nos escolheu nele antes da criação do mundo, para sermos santos e irrepreensíveis em sua presença" (Ef 1.4). Em outras palavras, a vontade fundamental de Deus para a sua vida não tem a ver com o que você faz, com seu endereço residencial, com o fato de você ser casado ou não, com o tamanho de sua renda; tem a ver com a pessoa que você vem a ser. A vontade primária de Deus para a sua vida é que você se torne uma pessoa de excelente caráter, com uma disposição salutar e um amor divino. É isso que palavras como *piedoso* e *santo* (que com demasiada frequência se tornam clichês religiosos) sugerem.

Como mencionei no primeiro capítulo, a tomada de decisões é um instrumento indispensável na formação de pessoas excelentes. Cada pai ou mãe sabe disso. Imagine-se um pai ou uma mãe que sempre controla a vida e as decisões de seu filho. (Talvez você esteja pensando: "Isso me lembra muito meus pais"; nesse caso, você precisa consultar um psicólogo. Talvez você esteja pensando: "Isso parece ter tudo a ver comigo"; nesse caso, seus filhos é que vão precisar de um psicólogo.)

Se o desejo de um pai ou uma mãe é que seu filho ou filha se torne uma pessoa realmente boa, eles *insistirão* muitas vezes para que ele ou ela tome suas próprias decisões. É assim (e de nenhum outro jeito) que se formam pessoas de excelente determinação, discernimento e caráter.

Isso significa que a vontade de Deus em relação à sua vida muitas vezes será: "Você decide". Às vezes, você vai pedir orientação ao céu e Deus vai lhe dizer: "Eu não me importo". Isso não significa que Deus não se importa com *você*. Significa que Deus se importa mais com sua pessoa e caráter do que com qualquer outra coisa — o que, naturalmente, é o que esperaríamos de um Deus realmente amoroso.

Às vezes, Deus pode ter uma tarefa específica para alguém — como Moisés ao enfrentar o faraó —, e ele tem competência para deixar isso bem claro. E a própria sabedoria nos ajudará a tomar o caminho certo em muitas escolhas de portas, como veremos no capítulo seguinte.

Mas meu entendimento acerca da fé e da oração progrediu muito quando compreendi que a falta de uma orientação do céu em relação a que porta escolher não significava que Deus havia falhado, tampouco eu. Muitas vezes, era simplesmente o contrário: Deus sabia que eu cresceria mais por ter de tomar uma decisão do que se recebesse um memorando do céu que inibisse o meu crescimento.

"Se for realmente uma porta aberta, minhas circunstâncias serão fáceis"

Segundo esse mito, se eu escolher a porta certa, isso se confirmará mediante o fato de que minha vida será facilitada. Escolher o cônjuge certo significa que o casamento deve ser tranquilo. Todas as manhãs, vamos acordar com bom hálito e de bom humor. Nada a respeito da outra pessoa vai nos incomodar — não *mesmo*. Ela vai fazer que eu me sinta ótimo e, quando estiver longe de mim, aguardará o momento de me servir.

Se tivermos filhos, eles vão amar a Deus; tirarão boas notas; estarão acima da média por sua aparência, QI, sociabilidade e habilidades atléticas. Vão passar pela puberdade sem espinhas e turbulências emocionais; ingressarão em uma faculdade que nos encherá de orgulho e se casarão com alguém que melhorará o *status* de nossa família. Vão ser completa e decididamente independentes e, ao mesmo tempo, manter nossas crenças e fazer o que aprovamos.

Se eu tiver escolhido a porta vocacional certa, meu emprego vai me proporcionar prazer e realização a cada dia. As avaliações de minhas atividades serão uma sequência de notas dez; serei o empregado preferido de meu chefe, enquanto as pessoas sob meu comando me enviarão regularmente bilhetes perguntando como podem aumentar meu sucesso. Colaboradores de convivência difícil vão logo se revelar como tais e se transferir para outra organização, de preferência no Alasca.

Se eu escolher as portas certas, minha vida financeira será isenta de percalços. Alguém vai garantir que minha aposentadoria, conta de previdência ou fundo de garantia estejam investidos em bens que não implicam nenhum risco e dobram seu valor a cada três ou quatro anos. Vou poder adquirir tudo o que quiser e, ao mesmo tempo, ser conhecido por minha pródiga generosidade.

Se meu critério para avaliar portas for a "facilidade", todas as vezes que topar com uma "dificuldade", ficarei cheio de dúvidas acerca de Deus, de mim mesmo e de minha escolha. Mas uma porta aberta não promete vida fácil.

De fato, quando Deus convida as pessoas a entrar por portas abertas, o que geralmente acontece é que a vida delas se torna muito mais difícil. Abraão deixa sua casa e lida com a incerteza e o perigo. Moisés tem de enfrentar o faraó e suportar lamentações de seu próprio povo. Elias foge de uma rainha obcecada pelo poder. Ester tem de arriscar a vida para impedir um genocídio. Todo o livro de Neemias gira em torno da resistência, tanto interna quanto externa, ao trabalho desse profeta.

Paulo escreveu à igreja de Corinto: "porque se abriu para mim uma porta ampla e promissora; e há muitos adversários" (1Co 16.9). Não se trata simplesmente de uma porta — é uma porta *ampla*. Um caminhão poderia passar por ela. Mas Paulo tomou a presença de muitos adversários como uma confirmação de que essa era a porta que Deus lhe abrira.

Evitar dificuldades é algo tentador, mas não enobrecedor. Maturidade espiritual é ser capaz de enfrentar dificuldades sem perturbar-se. No fim de nossa vida, serão as dificuldades enfrentadas por uma causa maior que terão o mais nobre significado.

David Garrow escreve sobre como Martin Luther King Jr. sofreu durante o boicote aos ônibus de Montgomery. Um ponto crítico aconteceu quando Luther King começou a receber detestáveis recados racistas ameaçando não apenas assassiná-lo, mas também bombardear sua casa e destruir sua família. Certa vez, à meia-noite, assustado e só, ele clamou a Deus afirmando ser fraco demais para ir em frente. "E me pareceu naquele momento que eu podia ouvir uma voz interior me dizendo: 'Martin Luther, defenda a retidão. Defenda a justiça. Defenda a verdade. E eis que eu estarei com você, até o fim do mundo'."

Garrow acrescenta: "Foi a noite mais importante da vida dele, aquela que ele sempre relembraria em anos futuros quando as pressões novamente pareceram demasiado grandes".[3]

Jesus não disse: "Minha tarefa será fácil". Disse, isto sim: "Então eles os entregarão para serem perseguidos e condenados à morte, e vocês serão odiados por todas as nações por minha causa" (Mt 24.9).

Ele não disse: "Este mundo será fácil". Disse, isto sim: "Neste mundo vocês terão aflições" (Jo 16.33).

Jesus usou a palavra *suave*, que corresponde a *fácil*, apenas uma vez. Mas não se referia às nossas circunstâncias. O mesmo Jesus que disse "Eu sou a porta" (Jo 10.7) também disse: "O meu jugo é suave" (Mt 11.30).

Ele não disse: "Vou lhes proporcionar uma vida suave". Disse: "Vou lhes proporcionar um *jugo* suave". Assumir o jugo de um rabino era uma metáfora para assumir seu estilo de vida. Jesus disse que a aceitação de seu jugo — organizando nossa vida para que ela constantemente receba o poder e a graça transformadora do Pai — nos levaria a uma experiência interior de paz e bem-estar com Deus. Em outras palavras, o que é suave ou fácil não provém do exterior. Provém do interior. Os adjetivos "suave" ou "fácil" não descrevem nenhum de meus problemas. Descrevem a força que está acima de mim, com a qual consigo suportar meus problemas.

Jesus oferece alívio ao espírito na esfera interior: a presença de paz e alegria em meio a circunstâncias difíceis. Sentindo-me confortável em meu interior, consigo forças para suportar o que é exterior. Sentindo-me confortável em meu exterior, não vou usufruir de nenhum alívio, seja exterior, seja interior.

"Portas abertas têm a ver com o fascinante sucesso espiritual de gigantes da fé"

Muitas vezes, confundimos portas abertas com histórias espiritualizadas sobre conseguir o que achamos que vai nos fazer mais felizes. Todavia, portas abertas são geralmente pequenos, silenciosos convites a fazer alguma coisa humilde para Deus e com Deus em um momento surpreendente.

Portas abertas para servir.

Portas abertas para doar.

Portas abertas para arrepender-se.

Portas abertas para ser honesto.

Se você alguma vez pensar que sua vida é insignificante demais ou que seu trabalho é prosaico demais para garantir a atenção de um Deus que abre portas, possivelmente você queira ler sobre os recabitas. Eles eram um clã obscuro que talvez nem devesse ser mencionado na Bíblia — julga-se que originalmente eles nem faziam parte de Israel, não haviam estado no Sinai, e não tinham conhecido a Torá. Mas eles foram informados por Jonadabe, filho de Recabe, que Deus lhes havia aberto uma porta a fim de que desempenhassem um papel especial para ele. Todavia, era um papel para o qual ninguém jamais se ofereceu voluntariamente: eles não poderiam beber vinho, nem plantar vinhas, nem semear, nem construir casas, nem ter moradia fixa. "Isso é ótimo", aparentemente pensaram eles. "Somos ótimos nisso de não fazer coisa nenhuma."

Durante gerações eles se mantiveram fiéis a essas ordens. Era uma vocação prosaica — viviam como nômades, como se o cultivo da terra nunca tivesse sido inventado. Ninguém os via como líderes importantes. No Oriente Médio, eles correspondiam aos rústicos membros de uma comunidade *amish*.

No entanto, séculos mais tarde, quando Israel estava à beira do exílio, Deus usou os recabitas como uma pequena imagem de excelência em obediência. Como uma peça de profética arte performática, Jeremias os convidou a comparecerem na casa do Senhor. Quando chegaram lá, ele os informou de que era exatamente a hora do coquetel. Mas eles explicaram que ainda eram abstêmios devido a uma ordem antiga. Deus mandou Jeremias dizer a todo o Israel para aprender uma lição com esses humildes nômades: que a lealdade até mesmo em relação a tarefas humildes é valorizada aos olhos divino. Os recabitas — estrangeiros, atrasados, gentios e toscos pastores de cabras — davam uma lição de inspiração e lealdade ao povo de Deus em seu momento de maior necessidade. Deus elogiou a família dos recabitas e disse que eles sempre teriam um descendente para servi-lo. Naquele tempo de solidariedade tribal, aquilo foi uma promoção gigante para toda a família.[4]

Não é a tarefa que desempenhamos que nos torna grandes aos olhos de Deus; é a atitude com a qual a desempenhamos. Deus abrirá portas para pessoas que têm um coração humilde, e não um ego inflado ou talentos fora do comum.

Muitas vezes, uma porta aberta é tão simples como o ato de pensar mais um pouco, reconsiderar as circunstâncias. Faça a coisa certa, por menor que ela seja. Faça o que qualquer ser humano decente faria em determinada situação. Honre um compromisso quando for mais fácil esquecê-lo. Às vezes, entrar por uma porta aberta significa simplesmente não ser um tolo. Se a porta não trouxer a indicação "fascinante", procure apenas agir como alguém que carrega a marca "obediente".

"Há sempre uma porta certa para cada decisão"

Não, não há. Se acreditar nisso, você nunca irá além do café da manhã.

Quando as pessoas usam antolhos, elas deixam de enxergar todas as opções de que dispõem. O bispo J. Brian Bransfield diz que as pessoas muitas vezes o abordam com um dilema, uma lamúria: "Eu simplesmente não sei o que Deus quer que eu faça", e aguardam esperando que ele atue como um porta-voz. Ele geralmente as desafia a ampliar suas perspectivas:

> Na verdade, há dezoito coisas que deixariam Deus muito feliz se você escolhesse. Você não está obrigado a abraçar ou a não abraçar o sacerdócio. Não está obrigado a se casar ou a não se casar com esta mulher. Há seis bilhões de pessoas no mundo. Você está me dizendo que Deus olhou para você e disse: "Há uma

única coisa que você pode fazer na vida, e você tem de adivinhar o que é, caso contrário..."? Será que você não está atribuindo a Deus *seus* próprios pré-requisitos?[5]

Somos chamados a ser perfeitos, não a ser perfeccionistas. *Perfeição* é excelência sem mácula. Perfeccionismo é um transtorno moral obsessivo-compulsivo. A Bíblia diz que Deus é perfeito, não perfeccionista.

Se há apenas uma maneira certa de criar um besouro, por que Deus criou trezentas mil espécies deles? Se há apenas uma maneira certa de criar uma pessoa, um de nós dois está errado — e aposto que sei quem é. A vida não é um jogo de copos, no qual eu tenho de estar sempre adivinhando sob qual copo está o dado. Viver desse jeito é carregar o contínuo e esmagador peso de errar na adivinhação. No Éden havia uma árvore errada, mas Adão e Eva "podiam comer livremente" os frutos de todas as outras árvores (Gn 2.16); eles não tinham de adivinhar qual árvore era a certa. Deus gosta de oferecer opções porque elas desenvolvem o nosso caráter.

"Se eu quiser ardentemente alguma coisa, Deus tem de abrir uma porta para que eu possa consegui-la"
Não. Ele não tem de abrir nada.

"Deus nunca pode me forçar a transpor uma porta de que eu não goste"
O faraó não queria deixar o povo de Deus ir embora, mas reter os israelitas no Egito se mostrou um problema mais complicado do que ele pensava.

Saul não queria ser rei, mas a coroa veio de qualquer jeito.

Jeremias tentou fazer que Deus transferisse seu cargo a outra pessoa, mas não havia ninguém que o quisesse.

Jonas tentou fugir de Nínive, mas Deus é mais esperto e dispõe de muitos meios de transporte.

Por outro lado, um profeta chamado Balaão queria viajar para Moabe, e Deus usou sua jumenta não só para impedir-lhe a passagem, mas também para censurá-lo com o recado "não bata na jumenta", antecipando em alguns milhares de anos a filosofia da Sociedade Protetora dos Animais.

O salmista escreve: "Não sejam como o cavalo ou o burro, que não têm entendimento mas precisam ser controlados com freios e rédeas, caso contrário não obedecem" (Sl 32.9).

O salmista distingue duas formas de orientação. Uma forma consiste em um apelo à razão e à escolha, o tipo de orientação próprio de pessoas maduras. A outra forma ("com freios e rédeas") consiste no uso da pressão e da dor para forçar a aceitação. Geralmente, se isso acontece, toma a forma da lei das consequências, e geralmente significa complicação. Não espere que o sofrimento da vida force você a entrar por uma porta que a sabedoria o convida a escolher agora.

"Não tenho mais tempo para a minha filha", diz o pai *workaholic*. Mas a filha, após anos de negligência paterna, foge de casa e cai nas drogas e na rebeldia. Ele passa horas incontáveis tentando localizá-la, e depois envolvido com psicólogos e programas de reabilitação. No fim das contas, ele tinha tempo, mas não quis gastá-lo com sabedoria até que fosse forçado a fazê-lo.

"Não tenho tempo para cuidar melhor do meu corpo." Mas depois sobrevém um derrame cerebral, um ataque cardíaco ou um caso de diabete, e de repente descubro que, no fim das contas, tenho tempo porque meu corpo já não consegue fazer aquilo que só posso fazer com a ajuda dele.

"Não preciso me preocupar com minha mania de adiar tudo... pelo menos não por enquanto." Mas uma série de projetos inacabados e promessas não cumpridas me fará abandonar a faculdade ou perder o emprego, e agora já não consigo fingir que as coisas vão, de algum jeito, dar certo.

"Posso controlar meu problema com bebida (jogo, sexo etc.)." Mas no fim a casa cai. Perco o emprego, ou perco dinheiro, ou perco o casamento. A dor e a pressão me forçam a lidar com aquilo que eu não quis reconhecer durante todo o processo.

Conheço um homem que tinha uma profunda preocupação com o problema da desigualdade educacional. Mas ele descobriu que era incapaz de abandonar seu desejo de ganhar muito dinheiro para dedicar algum tempo àquela causa. A obsessão financeira o levou a afastar-se da família e, ironicamente, seus investimentos se mostraram infrutíferos. Ele teve de declarar falência. No fim, isso o motivou a tornar-se professor de uma escola em uma zona carente. Seu único remorso é ter levado tanto tempo até fazer isso.

"Se escolhi a porta errada, não cumpri a 'vontade de Deus para a minha vida' e terei de recorrer à segunda melhor opção"

Essa é uma maneira de pensar que os sociólogos chamam de "pensamento contrafactual", que leva pessoas que não gostam do resultado de uma decisão tomada a ficarem obcecadas com o que poderia ter acontecido em uma situação hipotética alternativa. A expressão clássica é "Se eu tivesse...". "Se eu tivesse assumido aquele emprego (investido naquele namoro, cursado aquela faculdade, feito aquele investimento em vez deste...)."

Uma pessoa de negócios passa a acreditar que deveria ter se tornado pastor ou pastora e convive com um sentimento de culpa crônico.

Uma mulher acredita que se casou com o homem errado e alimenta fantasias sobre um casamento imaginário com um homem que (ela agora conclui) era o Plano A de Deus.

Tendemos a praticar o pensamento contrafactual em direção negativa com mais frequência do que em direção positiva. Pensamos de modo desproporcional sobre aqueles resultados que nos decepcionaram, em vez de refletir sobre os que poderíamos ter perdido mas não perdemos e que nos encheram de gratidão. A espécie errada de pensamento contrafactual leva à paralisia, à depressão, à autopiedade e à estagnação. Deus nunca nos convida a entrar por essa porta.

Paulo faz uma preciosa distinção para a igreja de Corinto. Ele diz que há uma "tristeza segundo Deus [...] [que produz] um arrependimento" e uma "tristeza segundo o mundo [que] produz morte" (2Co 7.10). A espécie justa de tristeza por causa de uma decisão errada sempre cria *energia* em vez de desespero. Ela nos leva a aprender com os erros cometidos e se transforma em grande sabedoria. A tristeza segundo Deus é repleta de esperança.

A tristeza segundo o mundo é um desperdício de energia. Nesse tipo de tristeza, nós contemplamos nossas escolhas erradas como se o mundo — e não Deus — fosse nossa esperança. Convivemos com a autopiedade e o remorso. Ficamos obcecados pensando em como nossa vida poderia ter sido melhor se tivéssemos escolhido a PORTA 1.

A vontade de Deus para a minha vida está focada principalmente na pessoa que ele quer que eu venha a ser. Ele e eu temos toda a eternidade para trabalhar nisso, de modo que nunca perco a oportunidade — a menos que a rejeite. Nem todas as estradas levam a Deus, mas todas elas lhe pertencem. Deus pode usar até mesmo a estrada errada para nos levar ao lugar certo.[6]

Jesus não disse: "O reino de Deus está prestes a chegar. Lamentem e acreditem nas boas-novas!". A distinção entre o remorso e o arrependimento reside na relevância de uma porta aberta para um novo futuro.

As portas de Deus, assim como suas misericórdias, são novas a cada manhã.

Frederick Buechner escreve:

> As coisas tristes que aconteceram muito tempo atrás sempre permanecerão como parte do que somos, exatamente como também permanecerão as coisas alegres e bondosas; mas, em vez de serem um fardo de culpa, recriminação e remorso que nos leva constantemente a tropeçar no caminho, até as coisas mais tristes podem tornar-se, depois de termos feito as pazes com elas, uma fonte de sabedoria e força para a jornada que ainda temos pela frente.[7]

"Deus é tão poderoso e onisciente que nunca se importará com minha angústia em relação a portas fechadas"

Na história da arte, um dos mais famosos quadros retratando uma porta foi feito há mais de um século por um artista chamado William Holman Hunt. A obra mostra a figura de um homem solitário, parado diante de uma pequena casa na qual ele quer entrar, batendo para obter a permissão necessária. Não sabemos dizer se há alguém no interior da casa ou se a porta em algum momento vai se abrir.

O quadro se inspirou em Apocalipse 3, em que lemos sobre a "porta aberta" que Deus coloca diante da humanidade. Alguns versículos depois, lemos sobre a porta para o céu, que foi deixada aberta.

Agora é Jesus quem está do lado de fora da porta: "Eis que estou à porta e bato. Se alguém ouvir a minha voz e abrir a porta, entrarei e cearei com ele, e ele comigo" (Ap 3.20).

É uma atitude humilde ir à casa de alguém e ficar do lado de fora batendo na porta, sem saber se será permitido entrar. Deus concedeu a cada ser humano uma porta que dá acesso ao coração, e o próprio Deus não forçará sua entrada.

Isso significa que nenhum ser humano jamais enfrentou a dor da rejeição tão intensamente como Deus. Deus não é apenas aquele que abre portas; ele é aquele que fica batendo à espera diante de portas fechadas.

Deus é a pessoa mais rejeitada na história do universo. Se ele está disposto a parar junto à porta e bater, quem sou eu para desistir?

"Há portas tão fortemente trancadas que nem mesmo Deus pode abri-las"

Na verdade, entre outras coisas, Deus é especialista em portas trancadas.

Estive uma vez na Capadócia e visitei uma impressionante cidade subterrânea que, em tempos antigos, abrigou vinte mil pessoas. Moravam em cavernas construídas em até oito patamares abaixo do solo. Ali vi uma imensa porta redonda feita de pedra. As pessoas a rolavam para a boca da entrada a fim de impedir totalmente a passagem. E, de uma maneira nova, tive uma noção do que foi removido da entrada do túmulo de Cristo.

Depois que essa porta foi aberta, tudo mudou.

Se Deus pode abrir a pesada porta de um túmulo selado, nenhuma porta circunstancial está trancada demais para ele. Considere o que aconteceu após a ressurreição:

> Ao cair da tarde [...], estando os discípulos reunidos a portas trancadas, por medo dos judeus, Jesus entrou, pôs-se no meio deles e disse: "Paz seja com vocês!" [...]
> Uma semana mais tarde, os seus discípulos estavam outra vez ali, e Tomé com eles. Apesar de estarem trancadas as portas, Jesus entrou, pôs-se no meio deles e disse: "Paz seja com vocês!"
>
> João 20.19,26

As portas de nossa vida não estão trancadas para Deus. Ele tem o poder de entrar em nossas circunstâncias e agraciar-nos com sua presença. Isso está na Bíblia. Pode verificar.

5

Porta 1 ou porta 2?

Como escolher a porta certa? Em Apocalipse 3.8 é dito à igreja de Filadélfia: "Eis que coloquei diante de você uma porta aberta que ninguém pode fechar". Mas como vou saber qual é essa porta? E se eu entrar pela porta errada?

Devo começar um namoro? E se começar, com quem vai ser? Como vou saber se devemos nos casar, se essa é "a pessoa certa"? O que devo fazer se eu sei que essa é a pessoa certa e Deus também sabe, mas ela ainda não recebeu a mensagem? Que faculdade devo cursar? Que especialização devo escolher? Qual é a carreira certa a seguir? Que emprego devo aceitar? Onde devo morar? Que casa devo comprar?

Será que Deus quer que eu persevere nesta situação difícil porque preciso crescer? Ou será que ele quer que eu saia dela porque, no fim das contas, anseia que eu seja feliz?

Desde os tempos antigos, os seres humanos têm manifestado o desejo de consultar fontes sobrenaturais para conhecer o futuro, para saber o que escolher. Eles têm lido mãos, folhas de chá, astros, entranhas de animais. Têm consultado oráculos, cartas de tarô, tabuleiros de necromancia. Têm tirado a sorte usando palitos e resolvido questões por sorteio. Na Roma antiga, áugures (da palavra latina *augur*, que significa "adivinho") estudavam o voo dos pássaros para predizer o futuro. Isso era descrito como "fazer os auspícios", e até hoje falamos de "um dia auspicioso para agir" ou sugerimos que alguma coisa não é "um bom augúrio" para o resultado que queremos.

Essas práticas persistem em nosso tempo, apesar de certas inconsistências lógicas. Há gente que liga diretamente para amigos mediúnicos. (Se existem amigos mediúnicos, não deveriam *eles* ligar para você?) Ouvi falar de um homem que afirmou que quase teve uma namorada dotada de poder mediúnico, mas ela rompeu o namoro antes de eles se encontrarem.

A fé professada pelo povo de Israel era muito avessa a essas práticas, não apenas porque elas não funcionam, mas por causa da diferença entre fé e magia. De fato, há uma história fascinante e estranha sobre o rei Saul que nos ajuda a entender a diferença.

Saul rejeita o comando de Deus para a sua vida. Ele escolhe a porta do poder, do ciúme, do engano e do egoísmo. Os filisteus o ameaçam com uma guerra. Saul quer desesperadamente saber o que fazer e, assim, procura descobrir "a vontade de Deus para a sua vida": deve ou não combater os filisteus?

Mas Saul não quer de fato a "vontade de Deus". Ele não quer se arrepender, humilhar-se, confessar seus erros ou repará-los. Ele quer ver o bom êxito de sua agenda pessoal. Assim, o céu se cala. Não há como Deus responder a esses pedidos de modo realmente útil para Saul.

Saul não consegue uma resposta a suas preces e, portanto, consulta uma médium em En-Dor, a quem pediu que chamasse o falecido profeta Samuel. (A necromancia, isto é, a busca do discernimento do futuro pela consulta aos mortos, é uma das mais antigas formas de adivinhação.)

Samuel aparece e, com certa irritação, pergunta a Saul o que ele quer. Saul responde: "Estou muito angustiado. Os filisteus estão me atacando e Deus se afastou de mim. Ele já não responde nem por profetas nem por sonhos; por isso te chamei para me dizeres o que fazer" (1Sm 28.15).

O que motiva Saul (e o que muitas vezes nos motiva) é revelado na primeira frase: "Estou muito angustiado". Tomar decisões é estressante. Às vezes, não estou à procura da "vontade de Deus", mas sim de uma garantia de resultados futuros que tire dos meus ombros a responsabilidade de decidir. Deus *deve* me dizer o que devo fazer porque eu "estou muito angustiado".

Samuel não dá a Saul o conselho que ele está buscando. Em vez disso, repete o julgamento moral e espiritual que poderia ter salvado Saul se este não o tivesse rejeitado.

Há uma enorme diferença entre fé, por um lado e, por outro, magia ou superstição. Na superstição, procuro usar alguma força sobrenatural para realizar minha própria agenda. Martin Buber disse: "A magia deseja obter seus efeitos sem estabelecer um relacionamento, e pratica suas fraudes no vazio".[1] Somos tentados a usar a superstição para nos livrar da ansiedade, para evitar a responsabilidade por nossos erros, para nos desvencilhar de um problema, para procurar informações privilegiadas a fim de conseguir o que queremos.

A magia nos dá a ilusão do conhecimento quando nenhum conhecimento de fato existe. Groucho Marx teria dito: "Se um gato preto cruzar o seu caminho, isso significa que o bichinho está indo para algum lugar".

A superstição se serve do sobrenatural para muitos propósitos; a fé procura entregar-se aos propósitos de Deus. A fé nos ensina que há uma Pessoa por trás do universo, e que essa Pessoa responde à comunicação exatamente como fazem todas as pessoas. A oração é a maneira primária de nos comunicarmos com Deus, e é por isso que a oração está intimamente associada com a busca e o discernimento de portas abertas.

Mas, na prática concreta de nossa fé, a superstição é para nós uma grande tentação, como foi para Saul.

Certa vez, passei por uma entrevista para um cargo em uma igreja no sul da Califórnia. Uma senhora da igreja (vamos chamá-la En-Dora) me disse que havia orado em relação ao caso e recebido uma "mensagem do Senhor", segundo a qual eu viria trabalhar nessa congregação, mas não naquele momento, e sim no futuro. O que ela não me disse foi que seu marido se candidatara para o mesmo cargo e que, se eu o conseguisse, ele o perderia.

Em determinada ocasião, um conhecido meu se via convencido de que uma mulher pela qual estava apaixonado era a escolha de Deus para ele. O supremo sinal que lhe confirmou isso aconteceu quando ele ouviu no rádio uma canção que o levou a pensar nela. Então ele orou dizendo que, se de fato era "ela", que Deus fizesse que a mesma canção tocasse de novo em outra estação de rádio, e a mesma canção *realmente* tocou em outra estação. Todavia, ele estava claramente equivocado, porque ela se casou com outro. Além disso, era uma canção do Village People, e eu acho que nem Deus poderia se servir daquilo.

Às vezes, quando busco desesperadamente a "vontade de Deus", o que eu *de fato* busco não é de modo nenhum a vontade divina. O que realmente quero é o que eu quero. Ou, então, pretendo tão somente me livrar da ansiedade de decidir.

Walter Kaufmann, filósofo de Princeton, cunhou o termo "decidofobia". Ele notou que os seres humanos têm medo de tomar decisões. Não queremos a ansiedade que acompanha a possibilidade de errar. Decisões são desgastantes.

Estive certa vez em um restaurante onde o garçom respondia a cada escolha dizendo: "Brilhante", "Perfeito" ou "Decisão excelente". Isso aconteceu tão regularmente — desde os aperitivos, passando pelos pratos principais até a hora das sobremesas — que no fim perguntei se ele alguma vez dissera a alguém que a escolha tinha sido lamentável. Ele nos disse que os gerentes do restaurante haviam descoberto que os fregueses temiam errar na escolha, de modo que optaram por imprimir uma lista de "palavras positivas" a serem proferidas pelos garçons em resposta à escolha de cada um. Até mesmo ter de escolher a comida nos torna tão vulneráveis que os restaurantes transformam garçons em terapeutas.

A escolha provém da essência de quem somos. Quando realmente escolhemos, não temos ninguém a quem culpar e lugar nenhum para nos esconder. A escolha nos emociona. A escolha nos assusta. A escolha é parte central da personalidade. Diz o poeta Archibald MacLeish: "O que é a liberdade? A liberdade é o direito de escolher: o direito de criar para si mesmo as alternativas da escolha. Sem a possibilidade de escolher, um homem não é um homem, mas sim um membro, um instrumento, uma coisa".[2]

Deus quer que aprendamos a escolher bem. Talvez seja por isso que, quando examinamos a Bíblia, não encontramos nenhum capítulo dedicado a "Como conhecer a vontade de Deus para a sua vida". Muitas vezes, diante de uma escolha real para a vida, a Bíblia parece não ajudar mais do que a velha máxima do jogador de beisebol Iogi Berra: "Quando você chegar a uma bifurcação na estrada, vá por ela". Paulo não escreve sobre "seis passos para determinar se 'ele é o cara'" ou "cinco passos para discernir a tarefa que Deus reserva para você".

O que vemos são afirmações como esta: "Se algum de vocês tem falta de sabedoria, peça-a a Deus, que a todos dá livremente, de boa vontade; e lhe será concedida" (Tg 1.5).

Ou: "Esta é a minha oração: Que o amor de vocês aumente cada vez mais em conhecimento e em toda a percepção, para discernirem o que é melhor" (Fp 1.9-10).

Deus quer que sejamos ótimos escolhedores.

Outro filósofo disse: "Receio que vocês venham a descobrir que, para um tomador de decisões, tomar a decisão não é simples".[3] E Deus está formando tomadores de decisões, e não apenas cumpridores de ordens.

Se eu estiver diante de uma escolha e quiser descobrir a vontade de Deus em relação à minha vida, não começo perguntando qual é a escolha dele para mim. Preciso começar pedindo sabedoria.

A Sra. Sabedoria está chamando

Você já tomou uma decisão idiota? Um cidadão da Flórida morreu recentemente porque participou de uma competição para ver quem conseguiria comer mais baratas vivas. (O vencedor ganharia uma jiboia viva.) Ele venceu, mas engasgou-se com as baratas. A gente tem de se perguntar: que parte desse torneio parecia tamanha boa ideia a ponto de alguém se inscrever nele?

Se você já tomou uma decisão tola de qualquer espécie, do ponto de vista financeiro, vocacional ou de sua saúde física ou espiritual; se você já disse alguma coisa de que depois se arrependeu; se você já se envolveu tolamente em um relacionamento romântico; se você já mostrou pouca percepção no emprego de seu tempo, no estabelecimento de um objetivo, em sua função de pai ou mãe, no tempo passado diante da televisão; se você já tomou uma decisão que, com o benefício de uma visão retrospectiva, poderia ser caracterizada pela palavra *tola*, este capítulo é para você.

Nós tomamos decisões, e depois as decisões tomadas nos tomam: o que digo, o que penso, o que como, o que leio, aonde vou, com quem vou, o que faço, como trabalho, quando descanso. Totalize 1.788.500 pequenas decisões e o que você tem é uma vida. Vamos entrando por portas, e o que encontramos do outro lado é a pessoa que nos tornamos.

A Bíblia tem uma palavra para designar pessoas que escolhem bem suas portas, e essa palavra é *sábias*. Não felizardas. Não ricas. Não bem-sucedidas. Sabedoria, segundo a Bíblia, não é a mesma coisa que um QI realmente alto, nem se restringe a pessoas com avançados diplomas universitários. Sabedoria, segundo as Escrituras, é a capacidade de tomar grandes decisões. Sabedoria é a arte de viver bem. Os israelitas amavam a sabedoria a ponto de não conseguirem parar de falar dela. Eles a valorizavam. Refletiam sobre ela. E a celebravam. Memorizavam ditos sábios. Falavam sobre ela com seus filhos.

Gostavam da história de Salomão, que, ao tornar-se rei, recebeu de Deus a proposta de pedir qualquer dom que quisesse, e Deus o daria. Salomão pediu: "Dá, pois, ao teu servo um coração cheio de discernimento para governar o teu povo e capaz de distinguir entre o bem e o mal. Pois quem pode governar este teu grande povo?" (1Rs 3.9). A primeira decisão de Salomão foi pedir sabedoria para nortear todas as suas decisões. E o texto diz que esse pedido agradou a Deus.

No livro de Provérbios, intimamente associado com Salomão, lemos isto:

> Vocês estão ouvindo a Sra. Sabedoria? Conseguem ouvir a Madame Percepção soltando sua voz? Ela se plantou no cruzamento mais movimentado da Avenida Central com a Rua Direita, na praça da cidade, onde o trânsito é mais congestionado. E grita: "Vocês aí! Estou falando com todos vocês! Todos os que estão aqui na rua, escutem! Vocês, tolos, tenham bom senso! Vocês, cabeçudos, criem juízo! Não percam uma palavra disto aqui. Estou lhes mostrando como levar a vida da melhor maneira possível. [...] Eu sou a Sra. Sabedoria. Moro ao lado da Sanidade. O Conhecimento e a Discrição ficam aqui perto, na mesma rua. Temer a Deus significa odiar o mal, cujos modos detesto do fundo do coração".
> Provérbios 8.1-6,12-13 (paráfrase do autor)

A maior diferença entre as pessoas que prosperam na vida e as que não prosperam não é o dinheiro, a saúde, o talento, as conexões ou as aparências. É a sabedoria — a capacidade de tomar boas decisões.

A nação de Israel amava a sabedoria.

Durante minha infância no meio-oeste norte-americano, se alguém dissesse: "Eu gosto demais deste cachorro-quente", era considerado muito engraçado responder: "Se você gosta tanto assim, por que não se casa com ele?". Isso era considerado divertido lá onde me criei, mas nós tínhamos um padrão muito baixo do que é divertido. Os israelitas gostavam tanto da sabedoria que queriam casar-se com ela; então a personificaram. Falavam dela como se se tratasse de uma pessoa. Falavam da sabedoria como se ela fosse o ser mais maravilhoso que já existiu no mundo. De fato, descreveram a sabedoria como uma mulher. A razão pela qual a Bíblia descreve a sabedoria como uma mulher é que as mulheres tendem a ser sábias.

No mundo antigo, muitos povos tinham muita literatura de sabedoria. Na realidade, parte dessa literatura passou a integrar a Bíblia. O povo de Israel amava a sabedoria onde quer que pudesse encontrá-la, mas eles sabiam que havia algo mais em jogo com relação à sabedoria do que simplesmente navegar pela vida obtendo sucesso em termos humanos. Provérbios 9.3-6 diz que a sabedoria "enviou as servas para fazerem convites desde o ponto mais alto da cidade, clamando: 'Venham todos os inexperientes'! Aos que não têm bom senso ela diz: 'Venham comer a minha comida e beber o vinho que preparei. Deixem a insensatez, e vocês terão vida; andem pelo caminho do entendimento'".

No mundo antigo, o ponto mais alto da cidade era sempre onde se localizava o templo. Isso se verificava em Jerusalém. Em outras palavras, a Sra. Sabedoria é uma expressão poética da sabedoria de Deus. Onde está a sabedoria, ali está Deus.

Por isso, no restante deste capítulo vamos examinar algumas maneiras pelas quais a sabedoria divina pode nos conduzir para as portas abertas que viermos a encontrar (e nos ajudar a entrar por elas).

Pare de esperar que uma explosão de paixão ocorra espontaneamente

Um amigo meu chamado Andy Chan dirige o Centro de Desenvolvimento Pessoal e Profissional em Wake Forest. Antes disso, ele dirigiu a área de colocação profissional na graduação da Escola de Administração da Universidade de Stanford, e o jornal *The New York Times* disse que ele é um "guru do desenvolvimento de carreiras". Andy diz que um dos maiores obstáculos sobre os quais deve advertir jovens adultos está relacionado à ilusão de que existe alguma paixão pairando no ar com uma etiqueta em que se lê o nome deles, e se eles simplesmente conseguirem descobrir sua paixão, todos os dias de sua vida de trabalho serão repletos de palpitantes emoções e motivação ininterrupta, sem exigir nenhum esforço. As pessoas leem histórias sobre líderes, artistas ou empresários bem-sucedidos e presumem que, assim que escolheram seu campo de atuação, eles passaram a acordar todas as manhãs alimentados por vastos reservatórios de energia para trabalhar. A tensão que isso gera é análoga à noção de que existe uma alma perfeita em algum lugar do mundo para se casar com você, e, se você não a encontrar, estará condenado ou condenada a um relacionamento malfadado.

Ninguém tem uma vida assim.

Thomas Edison costumava dizer que o gênio é 1% inspiração e 99% transpiração. E a vida é muito parecida com isso. Quando eu estudava no Seminário Teológico Fuller, tinha uma grande admiração pelo presidente dessa instituição, David Hubbard, que era também um prolífico autor, intelectual e palestrante. Muitos anos depois de eu me diplomar, ouvi uma palestra dele sobre o juízo falso da maioria de seus alunos em relação à vida que ele levava: era, na visão deles, uma vida cheia de atividades glamorosas e momentos inspiradores. A maioria das coisas que fazia, disse o dr. Hubbard, implicava a constante, laboriosa rotina de uma tarefa seguida de outra. Escrever anotações para uma palestra; presidir uma reunião de professores; pedir a um potencial benfeitor que considerasse a possibilidade de uma doação. Todas essas tarefas somadas constituíam um trabalho maravilhoso. Mas não eram uma série de momentos projetados para levar alguém a ter a sensação de ter acabado de ganhar na loteria.

Acreditar na importância de nossas contribuições é uma necessidade indispensável da alma. Mas acreditar que escolher a porta certa nos conduzirá para uma ininterrupta catarata de estímulos é uma ilusão que vai nos deixar indignados com Deus e frustrados com nós mesmos. Não espere que a paixão o leve para algum lugar onde você não está. Comece trazendo a paixão para o lugar onde você está.

Pratique com portas pequenas

Por vezes, só penso em pedir sabedoria quando me defronto com uma grande decisão. Mas Paulo escreve: "Enquanto temos oportunidade, façamos o bem a todos" (Gl 6.10).

Com que frequência temos uma oportunidade? Há portas em toda parte:

- Em um parque, uma mãe está vigiando suas duas crianças de idade pré-escolar. Eu simplesmente poderia parar por um momento e falar da bênção que são aquelas duas crianças.
- No início de nosso casamento, Nancy e eu estávamos almoçando em um restaurante mais requintado do que

aqueles que costumávamos frequentar (era um restaurante onde não havia a fila de um restaurante *drive-thru*). Alguém que nos conhecia nos viu lá e secretamente pagou nossa conta. Nunca nos esquecemos desse presente e, por causa dessa brincadeira, fizemos o mesmo muitas vezes em benefício de outras pessoas. Em nenhuma ocasião, depois de ter feito isso, pensei comigo mesmo: "Lamento ter gastado meu dinheiro desse jeito".

- Tenho uma noite livre. Em vez de, automaticamente, ligar a televisão, faço uma breve pausa para orar e perguntar como eu poderia empregar minhas próximas horas de um jeito que depois vai fazer que me sinta bem com a escolha que fiz.
- Alguém se apresenta em seu primeiro dia na empresa onde eu trabalho. Lembro-me do meu primeiro dia, muitos anos atrás, de como eu tive aquela sensação do tipo "me sinto como um menino recém-chegado à escola e não tenho certeza de que alguém gosta de mim e de que esta é a minha mesa". Então lhe escrevo um *e-mail* de boas-vindas e lhe digo que me lembro de como a gente se sente nessa situação.

Escolher portas sempre envolve um processo: reconhecer uma oportunidade, identificar opções, avaliar, escolher e aprender. Se eu esperar até que se apresentem decisões gigantes, minha capacidade de escolher com sabedoria ficará atrofiada. Tomar decisões que mudam uma vida é como correr nas quinhentas milhas de Indianápolis ou apresentar-se no palco perante uma plateia no Carnegie Hall lotado: é bom praticar com antecedência. E as oportunidades de praticar estão em toda parte.

Dedique tempo e energia a decisões relacionadas a portas grandes

Uma das principais razões para que "a descoberta da vontade de Deus em relação à nossa vida" seja um assunto tão crucial é que, nesta nossa época, somos oprimidos pelas escolhas que temos de fazer.

Barry Schwartz diz que sua quitanda oferece 285 tipos de doces e 175 marcas de temperos de salada. O menu da *The Cheesecake Factory* é mais extenso que *Guerra e paz*, de Tolstói. A beleza das calças *blue jeans* costumava ser sua simplicidade: eram *blue* (azuis) e *jeans* (de brim). Hoje, temos de escolher: *boot out*, ajuste folgado (que maneira mais delicada de falar), corte coladinho, *jeans* detonado (para combinar com seu estado de espírito), lavagem manchada, *stonewashed*, *jeans* pré-usado, corte boca de sino, corte reto, fecho com botões, fecho com zíper, *jeans* listrado, com estampa digital, *jeans* sem cós e até *unileg*. (Inventei este último tipo: para sacis.)

Pensamos que ter mais escolhas significa mais liberdade, e mais liberdade significa viver melhor. Mas ter escolhas a mais não produz libertação; produz paralisia. Segundo um estudo, quanto mais numerosas eram as opções que a pessoas tinham de investir o dinheiro de sua aposentadoria, tanto *menos* elas tendiam a investi-lo. Mesmo que suas empresas se comprometessem a igualar a quantia monetária investida para a aposentadoria, as pessoas deixavam o dinheiro parado.[4]

Transformamos nosso mundo em um enorme restaurante *self-service*, e isso está nos fazendo morrer de fome. Tornamo-nos "escolha*holics*". E nem mesmo os doze passos podem nos ajudar, porque eles exigem que entreguemos nossa vontade a um Poder Superior, e não restou em nós nenhuma habilidade de decidir.

Os personagens bíblicos não enfrentaram isso. Isaque não precisou perguntar a Deus se Rebeca era "a vontade divina para a vida dele". Não precisou decidir que escola frequentar, e sua carreira de agricultor nômade lhe foi destinada desde o berço.

Mas nós contamos com sabedoria proveniente do mundo antigo. Pessoas portas-abertas tendem a simplificar sua vida, de modo que podem economizar sua reserva finita de força de vontade para as decisões mais importantes. Em comunidades monásticas, as pessoas não têm de gastar sua energia decidindo que roupas vão usar no *casual day*. João Batista, Johnny Cash e Steve Jobs sempre souberam o que vestir, de modo que podiam economizar a energia mental para questões mais importantes.

Acontece que escolher nos exaure. Consome energia. Assim, as pessoas sábias controlam bem sua "energia de escolha".

É por isso que pessoas sábias nunca tomam decisões importantes quando estão em um estado emocional inadequado. Quando Elias descobriu que a rainha Jezabel estava à procura dele, ele se sentiu pronto para abandonar sua atividade de profeta e morrer. Deus lhe concedeu uma folga enorme. Elias dormiu, comeu alguma coisa, dormiu de novo, depois teve quarenta dias de descanso, oração e recuperação antes de decidir qual seria seu próximo passo. Agora estava pronto para decidir baseado em sua fé, e não em seu medo. E, ao cabo dos quarenta dias de descanso, sua decisão foi muito diferente da que teria sido tomada antes.

Vi indivíduos tomando decisões horríveis quando estavam exaustos, cansados, desanimados ou temerosos de que nunca terem feito outra coisa. Jamais imagine que alcançará o plano de ação certo se estiver em um estado de espírito errado.

A sabedoria pode muito bem fazê-lo esperar para tomar uma grande decisão, até você se sentir descansado. Em nove dentre dez vezes, uma mente ansiosa e um corpo exausto levam a uma decisão terrível. Paulo diz: "E a paz de Deus, que excede todo o entendimento, guardará o coração e a mente de vocês em Cristo Jesus" (Fp 4.7). Se eu quiser tomar uma boa decisão, preciso dessa paz, desse estímulo de saber que estou com Deus.

Qual é o seu problema?

Você tem um problema? Talvez você esteja sentado em silêncio em sua casa, à mesa do café da manhã com sua família, e seu problema esteja sentado ao seu lado. Se você não tem um problema, ligue para sua igreja, e eles vão lhe atribuir um.

De uma forma muito significativa, você será definido pelo problema que tiver. Por seu maior problema. Se você quiser, pode escolher: dedicar sua vida ao problema de "Como posso ficar rico?". Ou "Como posso ser bem-sucedido?". Ou "Como posso desfrutar de boa saúde?". Ou "Como posso viver em segurança?". Ou então você pode dedicar sua vida a um problema mais nobre.

Sua identidade é definida pelo problema que você adota. Diga-me qual é seu problema, e eu lhe direi quem você é.

Gente de alma pequena adota problemas pequenos: como tornar sua vida mais segura ou mais confortável; como colocar um vizinho ou uma vizinha inconveniente em seu devido lugar; como tornar as rugas menos visíveis; como lidar com colegas de trabalho mal-humorados; como reagir à falta de reconhecimento. Gente pequena se ocupa com problemas pequenos.

Gente que convive com a grandeza de alma se ocupa com grandes problemas. Como acabar com a extrema pobreza; como impedir o tráfico do sexo; como ajudar crianças em risco a receber uma boa educação; como levar beleza e arte para determinada cidade.

Você precisa de um problema do tamanho de Deus. Se não tiver um, seu problema atual é não ter um problema. Viver é enfrentar e resolver problemas. Quando Deus chama as pessoas, ele as chama para enfrentar um problema. O termo exato para a condição de alguém verdadeiramente isento de qualquer problema é *morto*.

Ichak Adizes escreve: "Ter menos problemas não é viver. É morrer. Saber lidar com problemas cada vez maiores e resolvê-los significa que nossas forças e capacidades estão melhorando. Precisamos nos emancipar de pequenos problemas para liberar energia a fim de lidar com problemas maiores".[5] Crescimento não é a capacidade de evitar problemas. Crescimento é a capacidade de lidar com problemas maiores e mais interessantes.

Uma das grandes perguntas que se pode fazer a alguém é "Qual é o seu problema?", e talvez você queira fazer isso agora mesmo. Você deve perguntar aos demais muito regularmente: "Qual é o seu problema?". Com isso, quero dizer: "Você tem um problema digno de suas melhores energias, digno de sua vida?".

Você está se esforçando para resolver o quê? Que diferença você quer que sua vida faça neste mundo? Gente que segue a Jesus se pergunta: "Meu Deus, qual é o problema deste teu mundo que tu gostarias de me usar para resolver?". Os seguidores de Jesus abraçam problemas deliberadamente.

Muitas vezes, as pessoas se perguntam: "A que problema eu deveria me dedicar?". Isso faz parte de querer saber "Qual é a vontade de Deus para a minha vida?". Esse é o grão de verdade que está por trás da ilusão da paixão espontânea. Não posso esperar uma explosão de emoção que me motive para sempre. Todavia, posso perguntar a mim mesmo que carência deste mundo produz em meu espírito uma genuína sensação de preocupação.

Com muita frequência, uma sensação de vocação se manifesta quando as pessoas começam a prestar atenção ao que mexe com seu coração. Muitas vezes, quando uma pessoa vê um problema no mundo e se inflama, ela diz: "Alguém precisa fazer alguma coisa a respeito disso!". Comumente, esse é o começo da vocação.

Há um padrão na Bíblia. Moisés não suporta que os israelitas fiquem sob o jugo da opressão e da escravidão, e Deus diz: "Tudo bem. Vá dizer ao faraó: 'Deixa o meu povo partir'".

Davi não suporta ouvir Golias zombando do povo de Deus, e Deus diz: "Tudo bem. Lute contra ele".

Neemias não consegue dormir por ouvir dizer que a comunidade de Jerusalém está em ruínas, e Deus diz: "Tudo bem. Reconstrua você o muro".

Ester não consegue suportar a ideia de que seu povo vai ser vítima de um maníaco genocida, e Deus diz: "Tudo bem. Ajude você a livrá-lo disso".

Paulo não tolera a ideia de que os gentios não conhecem o evangelho de Jesus, e Deus diz: "Tudo bem. Vá você mostrá-lo a eles".

O que comove seu coração? Neste mundo que nos cerca, os muros estão partidos, como na Jerusalém de Neemias.

É criança com fome, é o aborto de vidas incontáveis, é o tráfico de seres humanos, é a extrema pobreza, são os milhões de pessoas que nem sequer conhecem o nome de Jesus. Há muitos muros partidos.

Porta 1 ou porta 2? Sua séria preocupação com um dos graves problemas deste mundo pode lhe responder.

Faça a oração de Lloyd

É óbvio que, quando você começa a expor seu problema perante Deus, coisas acontecem. Um senhor idoso chamado Lloyd sofreu um grave ataque cardíaco, e os médicos lhe disseram que ele deveria ter morrido, mas não morreu. Ainda continuava vivo. Ele começou a se perguntar: "Por que ainda estou aqui?".

Essa é outra grande pergunta. "Por que ainda estou aqui?" Você talvez queira dirigir-se a alguém com quem trabalha ou mora e perguntar: "Por que você ainda está aqui?".

Eu deveria me perguntar isso todos os dias. "Por que ainda estou aqui? Será verdade que ainda estou aqui só para mim mesmo? Será que a única razão de eu estar neste mundo é me manter sobre a terra ou tornar minha vida mais confortável? Será mesmo? Será que tudo se resume a galgar degraus cada vez mais altos?"

Todos nós temos melhores respostas para tais perguntas, e isso se justifica pelo fato de a verdade do reino de Deus, da realidade espiritual e de um destino eterno no grande universo de Deus estar escrita em nosso coração. Lloyd se perguntou isso. Ele ouviu um palestrante discorrendo sobre o uso de uma nova tecnologia para levar mensagens do evangelho pré-gravadas a grupos de pessoas analfabetas pelo mundo afora.

O palestrante disse que o requisito tecnológico era um painel solar, mas o custo de cada painel era de quarenta dólares, de modo que era realmente difícil avançar nesse projeto.

Lloyd sentiu seu coração tocado pela necessidade que as pessoas têm do evangelho. Ele trabalhava no departamento de vendas da Florsheim Shoes. Nunca tinha construído um painel solar. Não era engenheiro, mas aquilo movia seu coração. Sentiu-se inflamado com isso. "Alguém precisa fazer alguma coisa", pensou ele, e decidiu que era ele mesmo. Assim, começou a orar pedindo isso. Entrou em contato com alguns engenheiros e disse: "Vocês precisam projetar um painel solar barato para Jesus".

Eles o projetaram, e no fim o painel acabou sendo produzido em massa. Mais de vinte mil painéis solares foram produzidos por causa de Lloyd Swenson. Eles começaram a ser usados para propagar a mensagem de Jesus pelo mundo afora.

Qual é o seu problema? Se você não tem um problema, precisa de um problema do tamanho de Deus. Por que você ainda está aqui? A razão pode parecer dramática. Pode não parecer. Não precisa ser nada que alimente a grandiosidade, mas nós fomos criados para as portas abertas.

Peça ajuda a pessoas sábias

Todo mundo precisa de uma comissão de seleção de portas.

Procure aconselhamento sábio. Se você quer a sabedoria, não tente obtê-la totalmente por si só. Cerque-se de pessoas em cujo caráter você confia, que têm bom discernimento e que se preocupam com seu bem-estar. Diga-lhes: "Tenho esta decisão a tomar. Digam-me palavras que interfiram na minha vida".

Com muita frequência, Deus nos instila sabedoria por meio de palavras proferidas por outros.

Salomão, o ícone da sabedoria no Antigo Testamento, escreveu Provérbios 12.15: "O caminho do insensato parece-lhe justo". Por quê? Porque ele é insensato. É isso que significa ser insensato, e há um insensato em cada um de nós. Há um insensato em mim. Há um insensato em você.

"O caminho do insensato parece-lhe justo, mas o sábio ouve os conselhos." Um espírito dócil é essencial para a sabedoria. Todos precisamos disso.

Eu estava trabalhando neste capítulo quando minha mulher me ligou para informar que ela acabara de sair do tribunal. Ela havia permitido que Baxter, nossa cachorrinha, passeasse sem coleira; então, a Carrocinha prendeu Baxter e aplicou uma multa à minha mulher. Ela foi ao tribunal para protestar, embora fosse absolutamente culpada.

— A senhora deixou sua cadela passear solta sem coleira? — o juiz lhe perguntou.

— Deixei, mas aquilo a deixou tão feliz! — Nancy respondeu.

Esse foi seu argumento principal: a satisfação da cachorra. (E essa defesa reduziu a multa pela metade. Vá entender!)

Depois Nancy fez este chocante comentário: "O tribunal está cheio de gente que tomou decisões erradas".

Eu pensei: "Bem, está certo... Você é um bom exemplo disso". Mas não disse nada a ela, o que foi uma boa decisão minha, mas me ocorreu esse pensamento. Vá a um tribunal em um dia qualquer da semana. Ninguém está aguardando na sala por ter dado ouvidos a uma pessoa sábia, amorosa, confiável que instilou em sua vida palavras de verdade acerca das decisões tomadas. O caminho do insensato parece justo ao insensato. E há um insensato dentro de cada um de nós.

Ironicamente, um dos maiores transgressores desse provérbio, anos mais tarde, foi o próprio Salomão. Ele, que havia pedido a Deus sabedoria. Apenas alguns capítulos mais adiante ficamos sabendo que "[Salomão] casou com setecentas princesas e trezentas concubinas, e as suas mulheres o levaram a desviar-se" (1Rs 11.3). Não é brincadeira. Aqui vai uma pitadinha de sabedoria: não se case com mil mulheres. Com isso, você já leva a melhor sobre o homem mais inteligente que já existiu. Parte do que a biografia de Salomão nos diz é que a batalha pela sabedoria não acaba nunca. Alguém pode ter sabedoria e tomar muitas decisões boas, mas todos nós temos uma fraqueza. Todos temos um ponto fraco.

Um dos melhores conselhos que já recebi, muitos anos atrás, foi o de pedir que algumas pessoas sábias e confiáveis presentes em minha vida atuassem como uma espécie de conselho diretor pessoal em meu benefício. Perguntei-lhes se poderíamos ter uma conversa, mais ou menos uma vez por mês, durante uma ou duas horas, sobre o que mais me importa: minha alma, minha família, meu casamento, meu trabalho, meus relacionamentos, minha vida emocional, minhas finanças.

Quem me deu esse conselho está agora muito próximo do fim da vida. É uma das pessoas mais sábias que já conheci, que levou uma vida extremamente boa. Se você tiver de tomar uma decisão importante neste exato momento, pense em uma ou duas pessoas com quem possa conversar. Pergunte-lhes o seguinte: "Vocês podem instilar sabedoria na minha vida? Aqui está o que estou pensando. Que lhes parece?".

Quase todas as decisões desastradas que as pessoas tomam (e todos nós fazemos isso) poderiam ser evitadas se simplesmente pedíssemos que uma pessoa sábia nos aconselhasse seriamente e depois lhe déssemos ouvidos.

As decisões que tomamos são muito mais impactadas por fatores externos do que podemos perceber. Em um estudo repetido muitas vezes, os sujeitos que receberam pacotes grandes de pipoca antes de entrar em uma sala de cinema comeram em média 53% mais pipoca do que quem recebeu pacotes pequenos. Não importava qual fosse o filme. Não importava sequer o fato de a pipoca estar ou não velha. Se você estiver diante de maior quantidade de pipoca, alguma parte misteriosa de seu cérebro diz: "Acho que vou comer um pouco mais".

Nosso ambiente influencia as oportunidades que reconhecemos e as escolhas que vamos fazer. Certifique-se, então, de que você vai pedir ajuda às pessoas certas.

Em Atos 13, ficamos sabendo que uma comunidade de crentes se reuniu e dedicou um tempo considerável à oração, à adoração e ao jejum. Como resultado dessa experiência, temos a notícia do que "disse o Espírito Santo: 'Separem-me Barnabé e Saulo para a obra a que os tenho chamado'" (v. 2). Como eles souberam que o Espírito disse isso? Como soou aos ouvidos deles a voz do Espírito? O texto não diz. Talvez tenha sido um momento dramático; talvez tenha sido uma orientação que só mais tarde reconheceram claramente ter vindo do Espírito. (Muitas vezes, percebemos melhor a orientação de Deus olhando pelo espelho retrovisor do que pelo para-brisa.) Mas o que está claro é que receberam a orientação de Deus *juntos*, como comunidade.

Quando agimos por nossa própria conta, tendemos a não ver portas. Um erro que cometemos é denominado pelos irmãos Chip e Dan Heath "enquadramento estreito": em razão de nosso pensamento restrito, deixamos de ver o leque total de opções que Deus põe diante de nós. Perguntamos coisas como "Devo terminar este relacionamento ou não?" em vez de "Como eu poderia melhorar este relacionamento?". Ou "Devo comprar isto ou não?" em vez de "Qual é a melhor maneira de gastar este dinheiro?".[6]

Por vezes, a escolha não é PORTA 1 nem PORTA 2. É PORTA 14.

Ao agir por conta própria, tendemos a nos sujeitar ao viés da confirmação. Em vez de procurar a verdade nua e crua, procuramos informações que confirmem o que buscamos. As pessoas procuram canais de TV paga para reforçar seu viés político. Fingimos querer a verdade ("O que você acha da minha tatuagem?" "Você gosta da minha namorada?"), mas o que realmente queremos é ratificar a posição na qual já apostamos.

Essa dinâmica era muito conhecida nos tempos bíblicos. Isaías falou de pessoas que "dizem aos videntes: 'Não tenham visões!' e aos profetas: 'Não nos revelem o que é certo! Falem-nos coisas agradáveis, profetizem ilusões'" (Is 30.10).

Precisamos que outros nos ajudem a reconhecer nossas portas. Mas não é qualquer um que pode ajudar. Precisamos de pessoas com sabedoria para discernir e com coragem para ser sinceras.

Às vezes, comunidades de fé podem ser realmente *piores* na questão do discernimento. O membro de uma equipe da igreja comete um erro grave. Quando desafiado pela equipe, sua resposta é "Mas Deus *me disse* para fazer isso". Não. Deus não disse. Aquele erro resultou de uma decisão tola, e sabidamente Deus não é tolo. Isso está na Bíblia.

Pior ainda é tentar manipular outras pessoas usando uma linguagem espiritual para alegar autoridade divina para uma vontade pessoal tola. Quando pessoas normais mudam de emprego, elas geralmente apresentam justificativas normais: uma promoção, mais dinheiro, uma oportunidade maior de contribuir. Também podem ter ocorrido problemas: conflitos com o chefe ou ineficiência na execução de certa função. Mas, nas igrejas, quando os pastores dizem que vão se afastar, o que geralmente se diz é: "Recebi um chamado". *Chamado* é uma palavra importante demais para ser usada a fim de encobrir conflitos, incompetência, ambição ou cultura doentia. Além disso, esse tipo de linguagem comumente passa para a congregação a mensagem de que os pastores têm acesso a um "canal de chamados" exclusivo para falar de decisões vocacionais, algo que não está disponível para outras pessoas.

O chamado de Deus geralmente envolve discussões muito francas sobre todas essas questões; não é uma forma de evitá-las. É fascinante que em Atos 13 a igreja se sentisse orientada pelo Espírito para enviar Paulo e Barnabé. Alguns capítulos depois, Paulo e Barnabé têm um conflito tão forte sobre uma questão de colegas de trabalho que acabaram se afastando: "Tiveram um desentendimento tão sério que se separaram" (At 15.39). A honestidade de Lucas é animadora nesse ponto. Muitas igrejas de hoje diriam: "Barnabé simplesmente se sentiu chamado para uma nova fase em seu ministério. Que Deus o abençoe".

Teste, experimente e aprenda a tolerar o fracasso

Deus dispõe de orientação para uma decisão específica? Claro que sim.

Deus dispõe de orientação para todas as decisões? Claro que não.

Eu devo estar aberto à orientação: devo procurá-la, ficar de ouvidos atentos. Mas não devo tentar forçá-la, nem presumir fracasso se não a sinto ou não a recebo.

Estive no ministério eclesiástico durante toda a minha vida. Lembro-me que me disseram: "Não se torne pastor, a menos que você realmente não possa fazer qualquer outra coisa" — um critério que poderia criar uma comunidade pastoral mais do que incompetente.

Não me encaixei nessa categoria. Segundo meu melhor discernimento, Deus estava me dizendo: "Você escolhe". Segundo meu melhor discernimento, Deus entendeu que eu cresceria se tivesse de tomar uma decisão de maneira que nunca tomaria caso recebesse um cartão-postal do céu. E foi assim em cada igreja onde servi. Nunca recebi um *e-mail* celestial. Tive de escolher.

Depois aconteceu uma coisa estranha. Fazia um ou dois anos que eu estava em minha igreja atual. Enfrentei um fim de semana difícil por causa do mau comportamento de alguns membros, além de outros problemas. Enquanto dirigia meu carro, um pensamento surpreendentemente nítido me ocorreu: "Não perca tempo perguntando se este é o emprego certo para você. Não perca tempo perguntando se alguma outra pessoa poderia fazer isso melhor ou se você poderia fazer alguma outra coisa melhor. Se puser a mão no arado e continuar trabalhando, você crescerá de maneiras que, de outro modo, não seriam possíveis. Veja sua presença nesta igreja como o meu chamado para sua vida".

Eu não estava procurando a orientação do céu naquele momento. Já havia decidido aceitar essa tarefa mais de um ano antes. Mas entendi que Deus estava falando comigo. Penso que — como muitas vezes acontece — a orientação divina não teve tanto a ver com o que o Senhor queria fazer *por meio de* mim quanto com o que ele queria fazer *dentro de* mim.

Reconheço que ainda sou falível em relação a isso. Reconheço que o chamado é um ritual comunitário e está nas mãos da congregação a que sirvo, e não no meu entendimento subjetivo. Mesmo assim... Depois de todos estes anos, sou grato por essa sensação de chamado.

Um chamado não significa que eu não possa fracassar. Quando nossa igreja estava iniciando um novo ministério, um irmão me abordou com a pergunta: "E se fracassarmos? Isso significa que não discernimos a vontade de Deus corretamente? Como vamos saber que seremos bem-sucedidos?".

Discernir portas abertas nunca é o mesmo que descobrir um sucesso garantido. Deus de fato chamou muitas pessoas para entrar por portas que levariam a enormes dificuldades, e não a recompensas exteriores. Jeremias foi chamado "profeta chorão" por um bom motivo. João Batista perdeu a cabeça. No Vale do Silício, onde trabalho, os investidores de risco muitas vezes estabelecem como regra nunca investir em alguém que não tenha fracassado e sofrido sérias perdas de tempo e dinheiro. Por quê? Porque eles sabem que as pessoas aprendem com os fracassos; que quem evita o fracasso nunca alcança aquela espécie de coragem e capacidade de arriscar que leva à arrojada inovação. Por que pensamos que Deus está preocupado em nos ajudar a levar uma vida livre de riscos?

Em Atos 16, Paulo está em uma prisão em Filipos, apesar de ter sido chamado para lá mediante uma visão. Um terremoto abala a prisão, e as portas e janelas se abrem — mas

Paulo não sairá por elas. Para ele, pelo que parece, essa não é uma decisão difícil. Apesar de a porta de sua cela estar escancarada, ele enxerga outra porta maior abrindo-se diante de si. Ele enxerga com grande clareza o propósito de sua vida: abrir portas espirituais para outras pessoas. Pode conseguir melhores resultados acorrentado na prisão do que como um fugitivo, como constatamos quando seu carcereiro passa a crer em Cristo por meio de seu testemunho. Paulo escolhe a porta maior, mesmo quando isso parece um fracasso.

A porta suprema
A sabedoria é maravilhosa. A nação de Israel a amava. Os povos antigos a apreciavam. A sabedoria proporciona melhores amigos, melhor caráter, melhor vida, melhor administração financeira, melhores trabalhadores, melhores comunidades, melhores cidadãos, melhores nações, melhores pais e mães. Mas pessoas sábias ainda contraem câncer. Pessoas sábias ainda sofrem traições. Pessoas sábias ainda morrem. A literatura bíblica acerca da sabedoria reconhece os limites de decisões humanas sábias. Por isso, nas Escrituras, a sabedoria é algo mais do que administração da vida. A sabedoria clama dos lugares mais altos da cidade; então, um dia, vem para o lugar mais humilde do mundo.

Há um interessante aspecto da sabedoria na vida de Jesus. Ele disse coisas tão fora do comum que Marcos descreve a reação das pessoas, as quais perguntavam: "De onde lhe vêm essas coisas? [...] Que sabedoria é esta que lhe foi dada?". Gradativamente, esses autores do Novo Testamento — que tinham sido criados para amar a sabedoria, reverenciá-la e apreciá-la — perceberam que havia algo diferente em Jesus. Paulo se admira com as riquezas disponíveis em Cristo: "Nele estão escondidos todos os tesouros da sabedoria e do conhecimento" (Cl 2.3).

O apóstolo redige essa fantástica passagem em Colossenses empregando imagens que descrevem a sabedoria tal qual fora descrita no Antigo Testamento, mas aqui ele as aplica todas a Jesus. Diz Paulo: "Ele é a imagem do Deus invisível, o primogênito sobre toda a criação" (Cl 1.15). Veja, essa era a sabedoria. "Nele foram criadas todas as coisas [...], sejam tronos ou soberanias, poderes ou autoridades; todas as coisas foram criadas por ele e para ele. Ele é antes de todas as coisas, e nele tudo subsiste" (v. 16-17). Ora, qualquer um que lesse isso reconheceria que essas são todas declarações feitas por Deus sobre a sabedoria divina, que eles sempre amaram muito.

"Nele estão escondidos todos os tesouros da sabedoria e do conhecimento" (Cl 2.2-3). Deus fez algo assombroso. A sabedoria, que mora no lugar mais alto, desceu ao lugar mais baixo. A sabedoria, em termos bíblicos — tal como a conhecemos hoje — não é apenas a capacidade de tomar boas decisões. Um dia a sabedoria se fez carne, a Palavra (*logos*). Sabe todo aquele início do evangelho de João? É tudo linguagem da sabedoria. A Sabedoria se fez carne, e a Sabedoria disse coisas estranhas que ninguém jamais dissera.

Os cidadãos de Israel sabiam qual era seu problema: Roma. E eles conheciam suas opções: A PORTA 1 era vencer os romanos pelo ódio (posição dos zelotes); a PORTA 2 era afastar-se dos romanos pelo desprezo (posição dos essênios); a PORTA 3 era colaborar com os romanos visando ao próprio interesse (posição dos saduceus). Jesus, que é a Sabedoria em forma humana, viu uma alternativa que ninguém mais reconheceu: o amor sacrificial e o poder da ressurreição. Mediante a escolha de encarnar essa opção, o próprio Cristo é aquele que nos abre o caminho até Deus.

Por isso, ele disse: "Eu sou a porta; quem entra por mim será salvo. Entrará e sairá, e encontrará pastagem" (Jo 10.9). A porta suprema é uma Pessoa.

A Sabedoria nomeou a porta menos escolhida: "Tome a sua cruz e morra para si mesmo; então, se você morrer, viverá".

A Sabedoria amou, a Sabedoria sofreu na cruz, a Sabedoria morreu, e a Sabedoria voltou à vida. A Sabedoria, graças a Deus, é muito mais do que bom senso e conselhos práticos, ou navegar bem e em segurança pela vida. A Sabedoria aposta tudo em Deus, morre em uma cruz e ressuscita no terceiro dia. A Sabedoria está viva hoje e pode caminhar comigo entrando pelas portas que surgem diante de mim. Os autores do Novo Testamento perceberam que, em Jesus, eles encontraram tudo o que tinham amado, valorizado e apreciado em relação à sabedoria.

Jesus tem uma noiva. Essa noiva se chama *Igreja*, e ele está voltando para ela.

Se você ama tanto a Sabedoria, por que não se casa com ela? Um dia vamos fazer isso.

6

COMO TRANSPOR UM LIMIAR

Um homem chamado Sylvester cresceu no extremo sul dos Estados Unidos durante a Grande Depressão. Cresceu até se tornar um mestre na arte de reconhecer e transpor portas abertas; um homem de imensa dignidade, força e coragem. Mas minha história favorita sobre ele trata de como ele conheceu sua esposa.

Sylvester conheceu Bárbara em um encontro às cegas. Ele nunca a tinha visto. Ela nunca o tinha visto. Ele era um jovem atlético. (De fato, o filho deles jogou nas principais ligas durante muitos anos.) A campainha tocou, e Bárbara, toda emperiquitada, foi até a porta, abriu-a e se viu diante de um homem que a olhava. Mas ela não viu nada parecido com o que esperava. Era um homem lamentavelmente fora de forma, alguém que certamente não cuidava do corpo. Não se parecia nada com o jovem atlético sobre o qual ouvira falar.

Ela ficou ali por um momento, surpresa e confusa. Então, de repente, outro sujeito surgiu de um salto de trás daquele homem e disse: "Eu sou Sylvester! Você vai comigo!". Bárbara se perguntou o que era aquilo. Acontece que Sylvester tinha pedido a outro sujeito para acompanhá-lo porque ele nunca a tinha visto, e, se por acaso fosse feia, ela sairia com o outro. Quando Sylvester a viu, sentiu-se tão entusiasmado que tratou de se prevenir contra qualquer equívoco. "Sim! Sim! Sim! *Eu* sou Sylvester, não ele!".

Eles foram casados durante sessenta anos.

É bom escolher suas portas com cuidado. Mas, quando entrar por elas, entre para valer.

Não cabe a mim definir as portas que me serão apresentadas durante a vida. Talvez eu não seja capaz de fazer que uma porta fechada se abra. Não compete a mim determinar o que está atrás da porta. Mas cabe a mim uma dinâmica: quando uma porta é aberta, tenho de escolher como vou reagir. Às vezes, o que fazemos depois que a porta se abre é o que faz toda a diferença.

Frequentemente, quando fazemos uma escolha, somos tentados a nos torturar demais perguntando se escolhemos a porta certa. Isso acontece sobretudo quando tal conduta é a menos recomendável, ou seja, quando estamos frustrados ou deprimidos com a porta que escolhemos.

Aconteceu comigo: comparei os melhores aspectos da Escolha B com as mais exageradas dificuldades da escolha que fiz. Pensei em como seriam amistosas as pessoas no Lugar B, ou como o Emprego B teria sido muito mais adequado, ou como teria sido muito melhor a formação que eu teria recebido na Escola B. (Eu nem sequer tinha uma Esposa B, o que é ao mesmo tempo compreensível e extremamente auspicioso.)

Ao agir assim, deixo de reconhecer que não há um roteiro para uma suposta adoção de um Plano B, assim como não há um roteiro para o que vai acontecer com o Plano A. O fator mais determinante acerca de como as coisas vão evoluir com o Plano A é saber se vou transpor essa nova etapa da porta aberta com grande entusiasmo, oração, esperança e energia.

Se eu ficar remoendo o que poderia ter sido, privo-me da energia e do espírito que me possibilitam enxergar todas as pequenas portas que Deus põe diante de mim a cada dia. Privo-me precisamente dos recursos espirituais necessários para descobrir vida em Deus aqui, neste exato momento.

Em outras palavras, muitas vezes o que mais interessa não é a decisão que eu tomo, mas o entusiasmo com que me dedico a executá-la bem. É melhor transpor a porta errada dando o melhor de si mesmo do que transpor a melhor das portas com uma disposição negativa. Às vezes, a maneira como transponho a porta é mais importante do que a qualidade da porta de fato transposta.

Doris Kearns Goodwin escreve que uma das explicações do grande amor do povo norte-americano por Teddy Roosevelt era a exuberância irrefreável com que ele abraçava a vida. Ele nunca transpunha uma porta ou assumia um compromisso sem entusiasmo. Quando se envolvia com algo, o que quer que fosse, ele se dedicava totalmente. Um contemporâneo de Teddy lembra que este, com seu grande entusiasmo, "dançava exatamente como os que o conheciam esperavam vê-lo dançar. Ele pulava".[1]

Pular é coisa de criança. A gente pode caminhar passo a passo, mas pular é algo que a gente faz quando se envolve por inteiro. Pular é o que até mesmo os adultos fazem em momentos de grande alegria, quando ganham um prêmio em algum sorteio, vencem um campeonato mundial, propõem casamento repentinamente e a moça diz "sim".

Se você vai transpor uma porta, não entre se arrastando. Pule para dentro dela.

Com muita frequência, deixamos de transpor portas abertas com o máximo entusiasmo porque sentimos o que às vezes é chamado de "arrependimento de comprador". Tendemos a experimentá-lo quando:

- Investimos muitos esforços na decisão (ela custou muito tempo, dinheiro e energia).
- A escolha coube a nós (de modo que não podemos culpar ninguém por ela).
- A decisão implica um grande comprometimento ("Será preciso ficar nesta casa por um período muito longo").

Decisões espirituais de máxima importância muitas vezes exigem grande esforço, grande responsabilidade e grande comprometimento. Isso significa que elas comumente implicam o arrependimento de comprador.

Constatamos isso do modo mais evidente em Êxodo. Israel se sente muito feliz por transpor a porta que Deus lhe abriu para a libertação do Egito e da escravidão. Mas, logo depois da travessia do mar Vermelho, instala-se o arrependimento de comprador: "Nós nos lembramos dos peixes que comíamos de graça no Egito, e também dos pepinos, das melancias, dos alhos-porós, das cebolas e dos alhos. Mas agora perdemos o apetite; nunca vemos nada, a não ser este maná!" (Nm 11.5-6).

Enquanto isso, Moisés reconsidera sua decisão de transpor a porta da liderança:

> E ele perguntou ao Senhor: "Por que trouxeste este mal sobre o teu servo? Foi por não te agradares de mim, que colocaste sobre os meus ombros a responsabilidade de todo esse povo? Por acaso fui eu quem o concebeu? Fui eu quem o deu à luz? Por que me pedes para carregá-lo nos braços, como uma ama carrega um recém-nascido [...]? Onde conseguirei carne para todo esse povo? Eles ficam se queixando contra mim, dizendo: 'Dê-nos carne para comer!' Não posso levar todo esse povo sozinho; essa responsabilidade é grande demais para mim. Se é assim que vais me tratar, mata-me agora mesmo; se te agradas de mim, não me deixes ver a minha própria ruína".
>
> Números 11.11-15

Reconsiderar a decisão tomada ou alimentar o arrependimento de comprador é parte inevitável do ato de transpor portas abertas. Não é fatal. Não é final.

Reconhecer a angústia de tomar uma decisão difícil pode ajudar alguém a evitar uma das piores, excessivamente espiritualizadas armadilhas em que as pessoas caem quando se veem diante de uma oportunidade assustadora: a desculpa "Eu simplesmente não me sinto em paz a respeito disso", que propicia uma capitulação por medo e preguiça. Nessa situação, tomamos a presença da ansiedade interna como uma lógica sobrenatural para deixar de assumir um desafio, em vez de vê-la tal qual ela é: um simples indício de imaturidade emocional.

"Por que você não termina aquele relacionamento no qual se comporta como uma carente, desesperada, agarrada a uma pessoa que simplesmente não corresponde a esse sentimento?"

"Por que você não tem uma conversa sincera com aquele sujeito em seu local de trabalho (em sua família, em seu grupo)? Aquela pessoa que está se comportando mal, alguém que você, em seu íntimo, condena e de quem se ressente?"

"Por que você não sai da rotina fazendo esta viagem, ou aquele curso, ou trabalhando como voluntário em tal área?"

"Bem, eu faria isso, mas simplesmente não me sinto em paz em relação a essas coisas."

Se "sentir-se em paz em relação ao caso" fosse o critério supremo para transpor o limiar de portas abertas, ninguém na Bíblia teria feito nada do que Deus pediu. A sequência na Bíblia geralmente não é esta:

PROFUNDA SENSAÇÃO DE PAZ EM RELAÇÃO AO CHAMADO → DECISÃO DE OBEDECER → TRAVESSIA TRANQUILA

Pelo contrário, geralmente a sequência é

CHAMADO → PAVOR ABJETO → DECISÃO DE OBEDECER → GRANDES PROBLEMAS → MAIS PAVOR → RECONSIDERAÇÕES → VÁRIAS REPETIÇÕES → FÉ MAIS PROFUNDA

Reconsiderar a opção por transpor uma porta não é um fato raro. Não é um sinal automático de que se fez a escolha errada. Não é sequer um bom instrumento de prognóstico acerca do futuro. Os israelitas titubearam em relação a como se sentiam quanto à decisão de transpor a porta do mar Vermelho. Em dado momento, sentiam-se aterrorizados ("Desafiar o faraó? Não acho uma boa ideia!"). No momento seguinte, estavam entusiasmados ("O mar Vermelho se abriu!"). Depois, a decisão tomada parecia horrível ("Maná de novo?"). Em seguida, maravilhosa ("Veja aquelas codornas... Pegue a espingarda do papai!").

Jamais a Bíblia aconselha alguém dizendo: "Se você está enfrentando alguma dificuldade em seu casamento, tente administrá-la gastando um bom número de horas especulando o que teria acontecido se tivesse se casado com outra pessoa. Contraste vividamente as hipotéticas virtudes de seu cônjuge fictício com as mais nítidas falhas de seu cônjuge real".

Há uma cura para o arrependimento de comprador. Há um jeito melhor de transpor a porta: dedicar-se de todo o coração.

Pule.

Como discernir a dedicação total

Nunca ouvi o treinador de um time de futebol pedir que seu grupo entrasse em campo e dedicasse 90% de seus esforços à disputa. Não se pode imaginar um grande líder posicionando-se à frente do time e dizendo: "Agora vamos à luta. Cada um deve dar quase tudo de si".

Nunca presenciei uma cerimônia de casamento em que o noivo tenha dito à noiva: "Com este anel, eu te desposo e prometo ser dedicado e fiel a ti na maior parte do tempo". Na verdade, há uma antiga tradição segundo a qual, quando um casal recém-casado transpõe o limiar da porta de sua casa pela primeira vez, o noivo carrega a noiva. É uma imagem de total confiança e total comprometimento.

Nunca vi o chefe de uma grande organização dizer a um empregado: "Nós esperamos que você se empenhe durante quatro quintos de um bom dia de trabalho".

Mas, às vezes, as pessoas tentam transpor portas muito desafiadoras com baixo comprometimento. E o resultado é a derrota. Quanto maior a porta, tanto maior o chamado para uma dedicação total.

Talvez você esteja perguntando: "Quer dizer que estava implícita a ideia de eu sofrer voluntariamente uma perda, abster-me de prazeres que de outro modo poderia usufruir, sacrificar meu conforto, reduzir minha qualidade de vida, ceder meu tempo, confessar meu pecado, responsabilizar-me perante uma comunidade, humilhar meu orgulho?".

Isso mesmo. O modo de transpor o limiar de uma das portas abertas por Deus é fazê-lo de todo o seu coração. E "de todo o seu coração" significa que o sacrifício está implícito: escolher uma coisa significa não escolher outra.

No Antigo Testamento, há um rei descrito desta maneira: "Amazias tinha vinte e cinco anos de idade quando começou a reinar [...]. Ele fez o que o Senhor aprova, mas não de todo o coração" (2Cr 25.1-2). Amazias batia o cartão, seguia as regras, fazia o que era indispensável, mas seu coração estava ausente. Ele obedecia a Deus... até certo ponto. Trabalhava pela reforma... até certo custo. Essa é uma maneira desprezível de levar a vida.

Contraste-se isso com a seguinte afirmação, que resume a vida de Davi. Deus diz: "Encontrei Davi, filho de Jessé, homem segundo o meu coração; ele fará tudo o que for da minha vontade" (At 13.22). Davi é descrito como um homem segundo o coração de Deus. Isso pode confundir um pouco quando se avança em sua biografia, porque ele é culpado de adultério, assassinato e dissimulação. Como marido, é um tremendo desastre, e como pai é ainda pior. Mas seu coração pertence a Deus. Toda a sua vida está imersa na presença e na história de Deus. O que o anima é servir e amar a Deus. Quando Davi complica as coisas — e complica mesmo —, ele se arrepende e busca acertar as contas com Deus novamente.

No mundo antigo, o coração era considerado a essência do indivíduo. Era não apenas a sede dos sentimentos, como muitas vezes o concebemos, mas também o centro do ser, particularmente da vontade pessoal. Assim, a dedicação total mostra o que escolho abraçar com todas as minhas energias.

Quando Davi coordenou o retorno da arca para Israel, diz-se que ele dançou perante o SENHOR "com todas as suas forças". Ele deu tudo de si. Se quisermos saber como foi aquela dança, o texto nos diz que o rei foi visto "dançando e celebrando perante o SENHOR" (2Sm 6.14,16). Davi dançou como Teddy Roosevelt. Pulando.

Uma das maneiras de você saber se seu coração está realmente comprometido é perguntar-se: "Quais são meus sonhos? Quais são as coisas que faço de modo espontâneo?". Comprometer-se 100% é realmente uma questão de saber onde está, de fato, o coração.

Lembro-me de certa ocasião em que nossos filhos eram pequenos e Nancy e eu tivemos um conflito. Foi sobre a divisão do trabalho. "Quem estava executando mais tarefas em casa?" Nancy achava que eu realmente estava executando tarefas demais e poderia acabar sofrendo um esgotamento nervoso. Isso só não era verdade nos dias da semana que terminam com uma vogal. Nesses dias, Nancy achava que um de nós dois talvez estivesse dando uma de folgado — e esse "um" não era ela. Enquanto Nancy ia falando de suas frustrações, tudo o que eu havia aprendido em cursos sobre aconselhamento vinha à tona. Eu ouvia. Usava de empatia. Assentia inclinando a cabeça. Concordava. Eu não estava dizendo, nem sequer em meu espírito: "Vou fazer o que for preciso — servir, participar, discutir, tomar iniciativas — para atingirmos uma condição em que nossa vida não se torne uma frustração crônica".

Esmerava-me a fim de achar a melhor saída para honrar meu compromisso. Era gentil e educado, mas de fato evitava fazer o que dissera que faria. Sou muito agradecido pelo fato de a pessoa com quem Deus quis que eu me casasse não permitir que eu me safe honrosamente do compromisso assumido. Na verdade, deveria dizer que *quase* sempre sou agradecido. O melhor de mim sempre é grato por isso.

Amazias passou 25 anos de sua vida tentando achar uma saída honrosa para seu compromisso com Deus. Ele fazia o que era certo, mas seu coração estava em algum outro lugar.

Saberei dizer a que meu coração se dedica quando notar que minhas emoções e adoração giram em torno daquilo. Davi sabidamente escandalizou sua mulher ao dançar perante o Senhor "com todas as suas forças" (2Sm 6.14). Todos nós dançamos por algum motivo.

Você recentemente transpôs o limiar de alguma porta aberta? Qual é o nível do seu comprometimento? Exatamente como um eletrocardiograma pode medir a saúde de nosso coração físico, é útil dispor de um instrumento capaz de medir o nível de nossa dedicação total:

- Falo desse compromisso com outras pessoas, a fim de criar uma espécie de responsabilidade pública por meus atos?
- Reconheço minha responsabilidade de crescer? Leio livros, pratico habilidades e me encontro com os que estão mais avançados no processo, para que me ajudem a evoluir?
- Queixo-me das dificuldades do caminho de uma forma que possa sutilmente justificar um envolvimento parcial?
- Ao lidar com momentos de desânimo, converso com Deus e peço-lhe forças para perseverar?
- Reconheço e comemoro avanços (até mesmo os pequenos) na direção certa?
- O apóstolo Paulo escreve: "Nunca lhes falte o zelo, sejam fervorosos no espírito, sirvam ao Senhor" (Rm 12.11). O zelo é uma grande força; devo rastreá-lo e preservá-lo. Tenho sido honesto em relação ao meu nível de zelo? Se meu zelo esmorecer, tomo medidas de descanso, renovação, entretenimento ou diálogo para renová-lo?

Instruções de Jesus para a transposição de portas

Vimos no capítulo 4 que há muitas frases que as pessoas pensam constar na Bíblia, mas que de fato não estão lá. Aqui vai mais uma delas, que praticamente todo mundo acha que foi proferida por Jesus: "Estejam no mundo mas não sejam do mundo".

Jesus nunca disse isso. A ideia de que devemos estar *no* mundo mas não ser *do* mundo tem, por vezes, levado cristãos a tipos errados de distinção, de modo que seu "estar no mundo" se caracteriza pela tepidez.

Aqui está o que Jesus disse:

Dei-lhes a tua palavra, e o mundo os odiou, pois eles não são do mundo, como eu também não sou. Não rogo que os tires do mundo, mas que os protejas do Maligno. Eles não são do mundo, como eu também não sou. Santifica-os na verdade; a tua palavra é a verdade. Assim como me enviaste ao mundo, eu os enviei ao mundo.

João 17.14-18

Aonde Jesus enviou seus discípulos? Ao mundo.

Isso é um pouco vago, não? Se eu fosse um daqueles primeiros discípulos, acho que preferiria que ele fosse um pouco mais específico. Mas Jesus parecia menos preocupado com a porta que os discípulos deveriam transpor do que como eles de fato a transporiam.

"Assim como me enviaste ao mundo, eu os enviei ao mundo." Jesus não diz: "Tentem evitar o mundo. Não deixem que ele contamine vocês. Envolvam-se com ele o mínimo possível. Saiam só com quem é cristão e da igreja; tentem se manter longe de pessoas que falam palavrões e são más". Ele diz que o fato de você ser um agente de Deus em seu trabalho, em sua vizinhança, em suas redes sociais, em suas circunstâncias e situações é o motivo de você estar neste planeta. Ele diz: "Assim como o Pai me enviou, eu os envio" (Jo 20.21).

Isso nos apresenta uma dinâmica sobre o comprometimento que se pode observar em equipes, em famílias, em ambientes de trabalho, em igrejas e na vida espiritual em geral. Quando alguém está profundamente comprometido de todo o coração — não por culpa, não por obrigação, não por pressão, mas por estar convencido de que essa é a causa mais digna da dedicação de sua vida —, essa pessoa gosta de ser desafiada. Ela gosta de ser convocada para seu compromisso, ser renovada nele, ser novamente desafiada por ele, ter alguém que lhe diz: "Eu vou estabelecer uma meta realmente muito alta para você".

Quando as pessoas ficam divididas em seus compromissos, quando fazem concessões, quando estão em conflito, elas realmente não gostam de falar de seu comprometimento. O assunto lhes causa desconforto.

Em uma passagem anterior, no evangelho de Mateus, vemos Jesus enfatizando *como* seus discípulos devem ir, mais do que *aonde* devem ir. Ele os envia em uma missão dois a dois. (É interessante observar que o texto não nos diz quem fez dupla com quem. Isso é algo que eu gostaria de saber — mas Jesus não está preocupado com *quem*.) O texto não nos informa especificamente aonde eles deveriam ir. "Na cidade ou povoado em que entrarem..." (10.11). Jesus presta pouca atenção aos detalhes que eu mais gostaria de conhecer: aonde ou com quem. Mas ele está interessado em *como* os discípulos irão.

Jesus diz a seus seguidores como eles devem ser enviados. Apresenta-lhes três imagens, cada uma usando um animal, para descrever como devemos transpor as portas que Deus põe diante de nós. São as três dimensões da vida de entrega total necessárias para transpor bem portas abertas.

Ovelhas entre lobos

"Eu os estou enviando como ovelhas entre lobos" (Mt 10.16). Essa é uma metáfora inesperada. A ovelha não é um animal arrebatador.

Nos Estados Unidos, nomes de animais servem de apelido para times de todos os tipos de esporte. Temos os Bears [ursos], os Tigers [tigres], os Lions [leões], os Diamondbacks [um tipo de lagartas], os Wolverines [carcajus], os Badgers [texugos], os Sharks [tubarões] — animais perigosos —, os Eagles [águias], os Hawks [falcões], os Bulls [touros], os Panthers [panteras], os Bengals [tigres de Bengala], os Raptors [aves de rapina], os Bobcats [linces], os Broncos [cavalos selvagens], os Grizzlies [ursos pardos]. Não conheço um time sequer (profissional, universitário ou colegial) chamado Ovelhas. "Os Ovelhas de San Francisco": esse nome simplesmente não mete medo em ninguém.

Só consigo me lembrar de uma ovelha ligeiramente famosa. Quando eu era criança, havia uma marionetista chamada Shari Lewis. Tinha um boneco que era uma ovelhinha chamada, por algum motivo inexplicável, Costeleta de Carneiro. Nome terrível para uma ovelha. Como se faz uma costeleta de carneiro? Mata-se a ovelha! Depois se come. Costeleta de carneiro é isso aí. Mas era assim que ela chamava seu bonequinho de ovelha, Costeleta de Carneiro. Simplesmente esquisito.

Jesus diz: "Eu os estou enviando como ovelhas". E não para aí. "Eu os estou enviando como ovelhas *entre lobos*".

Pergunta: "Como se comporta uma ovelha entre lobos?".

Resposta: "Com muito cuidado. Com muita *humildade*".

A ovelha não sai falando: "Ei, seus lobos, estou aqui para endireitar vocês! Ei, seus lobos, eu vou botar vocês na linha!".

Essa comissão não parece muito atraente. E, quando pensamos no assunto, vemos que é preciso alguma coragem por parte da ovelha que é enviada aos lobos.

Ser enviado como uma ovelha significa que eu não lidero valendo-me de minha esperteza, força, capacidade de impressionar.

Mas é uma coisa engraçada. Para ovelhas abrem-se portas que nunca se abririam para lobos.

Em Gênesis, toda a vida de Jacó consiste em trapacear e manipular. No fim, desesperado, ele é visitado por Deus. Luta a noite inteira e recebe uma bênção, mas ficamos sabendo que nesse processo ele é ferido na coxa, e a ferida não sara.

Ele vai visitar seu irmão, Esaú, e a longa briga entre eles chega ao fim. Quando Esaú vê Jacó, seu coração se comove. Por quê?

Talvez porque, quando Jacó se aproxima dele mancando, Esaú nota a fraqueza do irmão. Talvez Jacó esteja se impondo com sua claudicação.

Para ovelhas abrem-se portas que nunca se abririam para lobos.

Ouvi a pesquisadora Brené Brown dizer que certa vez, quando ela foi ministrar uma palestra sobre vulnerabilidade, sua fala seria interpretada para deficientes auditivos. Ela perguntou que sinal seria empregado para a palavra *vulnerável*. A intérprete tinha duas opções. A primeira consistia em mostrar dois dedos curvando-se sobre a mão oposta, o que significa "fisicamente fraco". "Fraco" não era o que a pesquisadora queria. Qual era a outra opção?

A segunda opção consistia no gesto da intérprete de abrir o casaco mostrando a si mesma. Corajosa, arriscada autorrevelação. É isso. "Porém", disse Brené, "quando adoto essa segunda acepção, sinto a primeira."

Se eu transpuser a porta com todo o meu coração, torno-me vulnerável à decepção e ao fracasso. Fico vulnerável por não ser forte o suficiente.

O paradoxo de Jesus é que a vulnerabilidade é mais forte que a invulnerabilidade.

Recentemente, encontrei-me por acaso com um homem que fora meu professor na escola dominical quando eu tinha por volta de 12 anos. Ele deu risadas comigo acerca de uma ocasião em que eu corrigi um erro de pronúncia cometido por ele. Mas aquilo não foi engraçado para mim. Pensei na minha necessidade de parecer inteligente e na frequência com que aquilo me levou a ferir o amor. Alguém disse que o mundo não precisa de mais gênios; precisa de mais criadores de gênios, pessoas que ampliam — não diminuem — os dons das pessoas a seu redor.

Ovelhas fazem isso.

"Eu os estou enviando como ovelhas entre lobos." Estou enviando vocês como Albert Schweitzer, que renuncia à sua condição de brilhante teólogo e músico mundialmente famoso para servir aos mais pobres dentre os pobres em outro continente, e isso acaba se revelando a porta mais imponente que ele poderia transpor.

Em geral, quando os comandantes querem inflamar as tropas, eles pintam um quadro intenso de como o triunfo deles será magnífico. Ouça o que Jesus diz a seus discípulos a primeira vez que os envia ao mundo. Ouvindo essas palavras, imagine que você é um dos discípulos na multidão. Com muita frequência, antes do início do jogo, todos os integrantes do time juntam as mãos umas sobre as outras, e eles ouvem a última preleção. Depois gritam "Vamos lá!" e partem para a disputa. Aqui está a preleção de Jesus. Esses discípulos vão fazer seu primeiro jogo. Eis o que Jesus diz para inflamá-los:

> Tenham cuidado, pois os homens os entregarão aos tribunais e os açoitarão nas sinagogas deles. [...] Mas quando os prenderem,

não se preocupem quanto ao que dizer [...]. O irmão entregará à morte o seu irmão, e o pai, o seu filho; filhos se rebelarão contra seus pais e os matarão. Todos odiarão vocês por minha causa [...].

Mateus 10.17,19,21-22

Vamos lá!

Quem fala desse jeito? Por que Jesus faz isso? Porque ele quer que seus seguidores saibam que segui-lo não é garantia de sucesso. Não significa que você será enviado ao mundo e será coberto de glória (conforme o mundo a entende). As ovelhas não são animais heroicos. Parte daquilo para o qual Jesus está convidando seus amigos a fazer é morrer para os padrões mundanos de heroísmo, sucesso e glória. "Vocês vão ter de morrer para essas coisas. Haverá resistência. Haverá um custo. Um outro tipo de herói será necessário."

A igreja sempre mostra seu melhor lado quando parte para o mundo com humildade, como uma ovelha entre lobos. Ironicamente, alguns séculos depois de Jesus, quando a igreja de fato conseguiu algum poder político e financeiro, ela perdeu seu poder espiritual. Um dos seguidores de Cristo, João Crisóstomo, estava refletindo sobre esse versículo acerca de ser enviado por Jesus como uma ovelha entre lobos e como tal conceito se perdia à medida que a igreja ganhava poder. Disse ele: "Envergonhemo-nos nós que fazemos o contrário, que nos lançamos como lobos contra os nossos inimigos. Pois enquanto formos ovelhas, nós conquistamos. [...] Mas, se nos tornarmos lobos, somos categoricamente derrotados, porque o socorro do nosso Pastor nos abandona: pois ele alimenta não os lobos, mas as ovelhas".[2]

Jesus disse: "Assim como o Pai me enviou, eu os envio". Quando João Batista viu Jesus pela primeira vez, ele bradou: "Vejam! É o Cordeiro de Deus, que tira o pecado do mundo!" (Jo 1.29).

Em Apocalipse vemos um quadro maravilhoso, fabuloso. João diz que teve uma visão de Jesus, o Leão de Judá em todo o seu poder. Depois a metáfora muda e João diz que ele viu Jesus, o Cordeiro que foi imolado. O Leão de Judá veio ao mundo e se fez Cordeiro imolado. "Eu os estou enviando como ovelhas entre lobos."

Mantenho sobre a escrivaninha um lembrete com palavras sábias de um mentor espiritual: "Não se esforce para progredir pessoalmente. Deixe que Deus cuide do seu progresso. Sirva aos outros".

É assim que, agindo como ovelhas, transpomos portas abertas.

Astutos como serpentes

Não apenas isso. Em seguida Jesus prossegue e diz: "Sejam astutos como as serpentes" (Mt 10.16). "Eu quero que vocês sejam espertos e inteligentes como serpentes." Gosto de ver que Jesus remete a essa noção. Com muita frequência, as pessoas pensam em Jesus como um tipo de sonhador ingênuo e bem-intencionado que flutuava serenamente acima das dificuldades e realidades humanas. Ele não era assim. Entre outras coisas, era realmente sério quando se tratava de levar a cabo o seu trabalho.

Isso é parte da dedicação total. Você empenha toda a sua pessoa, incluindo sua mente e seus talentos. Jesus queria gente que não apenas se devotasse a ele "espiritualmente", mas que fosse plenamente consciente, estivesse disposta a enfrentar a realidade e de fato refletisse sobre estratégias e táticas eficientes. Tais pessoas levariam o fracasso a sério, tentariam aprender com o mau êxito e procurariam melhorar. Arregaçariam as mangas. Com a mesma seriedade de qualquer CEO de uma corporação que simplesmente estivesse tentando ganhar dinheiro, elas se mostrariam mais sérias quanto às tentativas de expandir a obra do reino de Deus, porque, quando algo é importante, toma-se muito cuidado para que esteja em boas mãos.

Alguém propôs adições à Lei de Murphy, segundo a qual "qualquer coisa que possa dar errado vai dar errado". Uma delas era esta: "Quando você entra em um tribunal do júri, lembre-se que está se colocando nas mãos de doze pessoas que não foram espertas o suficiente para se livrarem da tarefa de ser membros do júri".

Jesus quer envolver em sua causa pessoas realistas e sérias em relação a prevalecerem, a serem de fato eficientes (com a ajuda de Deus, o único jeito de isso acontecer) — testando e avaliando, aprendendo e sendo astutas —, tal como as serpentes eram vistas naquele tempo. Seja o mais engenhoso, inteligente, esperto e sagaz que conseguir. Talvez seus feitos não pareçam impressionantes — não estou certo de que os discípulos tenham sido tão brilhantes em suas estratégias quanto Paulo. Mas Deus não pede que eu seja Paulo. Ele já tem um Paulo. Ele simplesmente me pede para ser "astuto como as serpentes", na medida do meu possível. Alegra-me que Jesus tenha dito isso. Muitas pessoas não esperariam dele esse conselho.

Como sabemos que portas Deus poderia nos abrir? Sendo astutos como as serpentes. Embora portas abertas envolvam mistério e aventura, elas geralmente não aparecem ao acaso. Exigem um alto grau de aprendizado e conscientização. Em especial, o perito vocacional Andy Chan observa que o chamado ou a vocação de alguém na vida vai exigir que essa pessoa domine duas áreas de conhecimento: conhecer a si mesma e conhecer o mundo que pretende impactar.[3]

Considere como poderíamos visualizar isso...

Posso ter um índice de autoconsciência alto ou baixo, e um índice alto ou baixo de conscientização acerca do mundo que quero impactar. Se o índice de autoconsciência é alto, mas o de consciência sobre o mundo é baixo, sou um *eremita*: estou em sintonia com meus pensamentos e sentimentos, mas não sei como conectá-los para ajudar o mundo de Deus. Se tenho um alto índice de conscientização quanto ao mundo que me cerca, mas um baixo índice de consciência de mim mesmo, sou um *camaleão*: estou em fina sintonia com o mundo que me cerca, mas não conheço os dons e valores que Deus me atribuiu para que os levasse ao mundo, de modo que simplesmente sou mais um na multidão. Se meus índices de autoconsciência e de consciência em relação ao mundo, forem baixos, sou um *sem noção*.

Mas, se eu tiver uma profunda consciência de mim mesmo e uma profunda consciência do mundo ao meu redor, então estou pronto para ser um *agente de mudança*. Isso é ser astuto como uma serpente.

	autoconsciência	
consciência do mundo	CAMALEÃO	AGENTE DE MUDANÇA
	SEM NOÇÃO	EREMITA

Autoconsciência

Quem é você? Andy afirma que essa pergunta é o fundamento de toda avaliação vocacional e todo desenvolvimento de uma carreira. Tendo uma clara noção de seus interesses e pontos fortes (aquelas suas boas habilidades especiais que você mais gosta de exercer), aptidão, talentos, personalidade, aspirações e experiências vividas, você pode começar a visualizar o tipo de trabalho — e de vida — que considera mais atraente e significativo. Talvez você goste de aprender ou se entusiasme ao liderar outras pessoas ou monte uma equipe. Talvez você seja criativo e artístico e goste da beleza. Ou talvez você sinta prazer trazendo ordem ao caos, ou trazendo cura aos que sofrem. Talvez você já tenha uma intuição muito bem definida de tudo isso. Todavia, provavelmente você gostaria de se beneficiar trabalhando com mentores sábios, equilibrados e justos, capazes de esclarecer e confirmar suas qualidades inatas e ímpares. Conhecendo a si mesmo, vai desenvolver um novo conjunto de preciosas lentes que lhe permitirão avaliar oportunidades potenciais e priorizar o trabalho que você poderia realizar e o trabalho ao qual provavelmente não deveria se dedicar.

Um aspecto crucial do conhecimento de si mesmo é a capacidade de definir onde reside sua identidade pessoal. Muitas vezes, os sonhos e os interesses pessoais são definidos por aquilo que a pessoa acha que vai satisfazer os pais, impressionar os amigos, ser aceito pelo cônjuge, ou proporcionar benefícios como dinheiro, poder, influência ou prestígio. Algumas pessoas conseguem identificar essas ligações; outras não conseguem sem o auxílio de uma perspectiva externa e da reflexão introspectiva. Essas ligações frequentemente são coisas que as pessoas poderiam perceber como sendo importantes mas que, examinadas em seus detalhes, de fato não o são.

Se eu souber o que mais me motiva, serei capaz de levar uma vida de dedicação perene. Se eu conhecer minhas feridas e fraquezas, serei capaz de crescer, e talvez até consiga superá-las. Se eu souber com que tipo de pessoas executo melhor meu trabalho, serei capaz de participar de uma equipe, e não apenas de atuar isoladamente. Assim, a autoconsciência implica observar minhas paixões, minhas cicatrizes e meus parceiros.

A *paixão* é aquela parte da vida que inflama você; aquilo de que falei no capítulo anterior como sendo o seu problema. Pode ser a fome mundial, os veteranos negligenciados, a questão da educação. Ao ver crianças crescerem em áreas com escolas sem recursos, onde elas nunca terão uma oportunidade de aprender, isso simplesmente é doloroso demais para você. Ou então você vê pessoas com aids não apenas marginalizadas, mas também estigmatizadas, deixadas na solidão sem nenhum amparo. Ou então você testemunha as dificuldades enfrentadas por mães solteiras. Ou simplesmente a necessidade de se proclamar o evangelho com clareza. Deve haver alguma coisa que inflame sua paixão. Sua paixão é aquilo que faz você pular.

Uma área do autoconhecimento muitas vezes ignorada é a da consciência das *cicatrizes* pessoais, o ponto onde você foi ferido. Essa consciência o capacitará a ajudar outras pessoas. Recentemente, conversei com um senhor cujo filho é vítima de autismo grave. Esse pai criou uma impressionante comunidade para pais em situações semelhantes à dele. Podem ser pessoas que combatem vícios ou gente que esteve encarcerada, gente que luta com distúrbios emocionais, pessoas desempregadas — existem áreas e mais áreas. Deus não desperdiça uma ferida.

Depois, haverá *parceiros*. Jesus nunca enviou seus discípulos ao mundo isoladamente. Ele chamou os doze, e em seguida os enviou em uma pequena missão dois a dois, de modo que estivessem acompanhados. Assim, além de suas paixões, pontos fortes e cicatrizes, haverá pessoas em sua vida para apoiá-lo, animá-lo e participar do que você estiver fazendo.

Isso tudo é autoconsciência. Mas você também vai precisar de uma conscientização daquela parte específica do mundo que deseja impactar.

Consciência do mundo

Andy diz que, com muita regularidade, pessoas em busca de emprego sabem muito pouco acerca das carreiras pelas quais afirmam se interessar:

> Na década passada, entre as carreiras de interesse mencionadas com grande frequência estavam a do cirurgião do tórax, a do investigador forense e a do advogado. Isso faz sentido, pois seriados populares da televisão incluíam a série dramática de medicina *Grey's Anatomy*, a série de investigação policial *CSI* e a série jurídica e política *The Good Wife*. Aí está um bom exemplo de como as pessoas são fortemente influenciadas por aquilo que veem, leem e põem na cabeça, no corpo, no coração e no espírito. Sinceramente falando, a maioria não fez ideia nenhuma sobre as reais implicações dessas carreiras, o que é necessário para alcançar o sucesso atuando nelas, e nem sabe se o trabalho envolvido se alinha com seus interesses, valores e pontos fortes, sua estrutura pessoal e suas aspirações.[4]

As pessoas sábias tornam-se estudantes do mundo e também de si mesmas. Elas pesquisam oportunidades de ministério e avaliam as responsabilidades de determinada função.

Falam com gente que está envolvida no tipo de profissão ou trabalho voluntário que lhes interessa. O tempo todo buscam informações sobre essas possibilidades, em conversas, leituras e experiências. Dirigem experimentos temporários e monitoram os resultados e suas respostas pessoais. São pessoas que refletem.

Nunca somos velhos demais para isso.

Uma senhora tornou-se recentemente octogenária, e ela não quis receber presentes para si. O que a machuca profundamente quando ela olha para o mundo é ver lugares onde mulheres, *milhões* delas, gastam duas ou três horas por dia para ir tirar água potável de um poço artesiano, algo tão profundamente pungente neste nosso mundo. Então, ela avisou aos seus conhecidos: "Não me deem presentes; ajudem-me a financiar um poço".

Ela já financiou três poços em regiões carentes ao redor do mundo e está trabalhando em um quarto reservatório.

Oitenta anos de idade, e ela ainda está pulando.

A necessidade não precisa ser dramática. Há portas abertas por toda parte. Uma delas está na agência de correio de San Pedro, na Califórnia. É a maior agência de correio do mundo. Funcionários cumprimentam os clientes na entrada, brincam com eles na fila e promovem competições para ver quem ajuda mais. Outra coisa: eles não são pagos. É a única agência de correio do mundo onde há apenas voluntários, e tem sido assim por cinquenta anos.

Uma voluntária chamada Marsha Herbert se aposentou cedo e procurou alguma coisa em que se ocupar. "Vi o correio e pensei: 'Isso é para mim', porque ali a gente interage com o público, e eu também acho que isso mantém afastado o mal de Alzheimer, pois o funcionário tem de pensar o tempo todo."

Além de os voluntários beneficiarem os usuários da agência, todo o dinheiro ali gerado vai para a caridade — centenas de milhares de dólares todos os anos.[5]

Nenhuma porta é tão pequena ou tão comum a ponto de não poder ser uma porta aberta de Deus (nem mesmo a porta do correio), desde que a pessoa seja astuta o suficiente para enxergá-la.

Imitem as pombas: não sejam maliciosos

Há mais um valor no ato de transpor uma porta com dedicação total: "Sejam [...] sem malícia como as pombas" (Mt 10.16). As pombas equivalem, no mundo das aves, ao que são as ovelhas no mundo dos animais quadrúpedes. Elas são consideradas criaturas igualmente muito inocentes. A mensagem principal que Jesus envia ao mundo não é o que fazemos, mas o que somos. Isso também é uma marca da dedicação total. O mundo precisa não apenas de feitos externos isolados, mas também de um caráter transformado no interior. É isso que Jesus quer disseminar.

Tenho um amigo que é médico. Alguns anos atrás, uma paciente se apresentou a ele para um exame, e o médico ignorou um dos sintomas. Um ano depois ela descobriu que tinha um câncer. O câncer poderia ter sido detectado por ele um ano mais cedo, se não tivesse sido ignorado aquele sintoma específico que, como se constatou, era causado pelo câncer. Como se pode imaginar, essa descoberta deixou o médico arrasado.

Ele não conversou com ninguém. A primeira coisa que fez foi telefonar para a paciente, entrar no carro (não se esqueça de que ele é médico), ir até a casa dela, sentar-se com ela e seu marido na varanda e dizer: "Lamento muito. Eu devia ter examinado aquilo. Não o fiz. Vou fazer tudo o que for possível para ajudá-los. Vocês me perdoam?".

Imaginem o que fez o departamento jurídico ao descobrir o que ele havia feito. Não lhe concederam uma estrela dourada. Mas aconteceu uma coisa curiosa. O médico, a mulher doente e o marido dela choraram juntos. Esse médico orou por eles. É uma história muito bonita.

Recentemente, foi realizado um estudo sobre ações judiciais em que se investigou, entre outras coisas, que tipo de médico tem menos probabilidade de ser processado. O resultado me surpreendeu. O tipo de médico que sofre menos processos é, usualmente, um médico simpático. Sua especialidade ou campo de atuação são irrelevantes. Muitas vezes, neste nosso mundo legalista, não pensamos assim. Esquecemo-nos da natureza da condição humana. Mas o fator determinante quanto a quem será processado não diz respeito a quem é mais ou menos brilhante. Não se trata de saber se há um gênio envolvido, mas de saber se há humanidade, pura e simples humanidade.

As palavras desse estranho médico que admitiu ter cometido um erro se espalharam na região em que atuava e inspiraram integridade a outras pessoas. Interessante é que ele não fez o que fez com vistas a escapar de um processo judicial. Fez por ser um seguidor de Jesus. Esse é o tipo de coisa que os seguidores de Jesus fazem. Não há sempre uma regra ou fórmula para isso. Mas é o que significa ser enviado e partir em dedicação total.

Jesus disse: "Como o meu Pai me enviou, assim eu os estou enviando. Quero que vocês se apresentem como ovelhas entre lobos. Quero que sejam astutos, perspicazes, inteligentes e sábios como as serpentes, mas também quero que sejam inocentes como as pombas. Quero que deixem que Deus trabalhe seu caráter, porque a coisa principal que vocês levarão para o mundo não é aquilo que fazem, mas aquilo que são".

Melhor entrar pela porta errada com o coração certo do que pela porta certa com o coração errado.

A dança da porta aberta

Quando o escritor e professor Brennan Manning foi ordenado sacerdote, alguém lhe ofereceu uma bênção:

> Que todas as suas expectativas sejam frustradas.
> Que todos os seus planos sejam contrariados.
> Que todos os seus desejos sequem até se tornarem nada.
> Que você possa experimentar a impotência e a pobreza de uma criança e possa cantar e dançar no amor de Deus, o Pai, o Filho e o Espírito Santo.[6]

Por vezes, podemos nos confundir diante das portas que se mostram à nossa disposição. Pensamos que nossa família, nossas obras, nossas conquistas têm de ser de determinada forma, e isso quase nunca acontece. Mas a vida, esta bênção, depende menos de quais portas você transpõe (suas expectativas, seus planos, seus desejos) do que do modo como você as transpõe.

Ao entrar por uma porta, faça isso de todo o seu coração, com a impotência e a pobreza de uma criança, cantando e dançando no amor de Deus.

Pois a bênção que Brennan recebeu foi a bênção de Jesus. Jesus passou pessoalmente por aquilo que, aos olhos humanos, pareceu uma sucessão de portas estranhas. Seus seguidores esperavam que ele derrotasse Roma, mas essa expectativa foi frustrada. Ele desejou ser poupado da cruz — "Pai, se for possível, afasta de mim este cálice" (Mt 26.39) —, mas teve seu desejo negado. Ele orientou seus seguidores para que fossem como crianças, e ele mesmo se entregou tão profundamente à impotência que "esvaziou-se a si mesmo, vindo a ser servo [...], humilhou-se a si mesmo e foi obediente até à morte, e morte de cruz!" (Fp 2.7-8).

Três dias depois de ter sido crucificado, Jesus transpôs a porta final, aquela que o levou à derrota da morte e ao triunfo da esperança; a porta que levou para algum lugar além do arco-íris e a terra-que-o-tempo-esqueceu: sua casa. Ninguém estava lá para testemunhar esse momento. Nenhum dos autores do Evangelho registra com precisão como ele transpôs o limiar, mas eu acho que sei como ele fez isso. Não acho que tenha entrado se arrastando, exausto. Não acho que ele tenha transposto aquela porta mancando.

Acho que ele entrou aos pulos.

Imagino que ele ainda continue pulando.

7

O QUE AS PORTAS ABERTAS PODEM LHE ENSINAR SOBRE VOCÊ MESMO

Todos nós somos afetados por uma espécie de ponto cego pessoal.

Imagine que, em um grupo, alguém está agindo de forma esquisita. Todos estão cantando, mas uma única pessoa canta desafinado. Alguém exibido alardeia sua familiaridade com gente famosa. Alguém viola o espaço de outra pessoa aproximando-se demais. Alguém é carente do ponto de vista emocional e todos se arrepiam quando essa pessoa se aproxima porque sabem que ela lhes sugará a energia. Se alguém tem um problema, quem é a última pessoa a saber disso?

Aquela que tem o problema.

A verdade a seu respeito é que você não conhece a verdade a seu respeito.

Outras pessoas a conhecem. Falam sobre ela — umas com as outras.

Quando morávamos em Chicago, eu costumava frequentar um restaurante onde, semanalmente, tomava o café da manhã com um amigo. Ele gostava de panquecas, mas o restaurante não as servia. Todas as semanas, éramos atendidos pela mesma garçonete; todas as semanas, ele perguntava se tinham panquecas; todas as semanas, ela dizia que não. Ele não fazia ideia de como seu comportamento era irritante. Nem sequer percebia que estava fazendo aquilo.

Um dia, ela não aguentou: "Olha, Seu Panqueca, nós não temos panquecas. Não fazemos panquecas, não servimos panquecas, não as colocamos no cardápio. Não tínhamos panquecas na semana passada, não temos panquecas nesta semana, e não teremos panquecas na semana que vem. *Helloool?* Se manca!".

O mais engraçado é que, depois que contei essa história em nossa igreja, literalmente dezenas de pessoas começaram a frequentar aquele restaurante e pedir panquecas, e finalmente as panquecas foram incluídas no cardápio. O que dilui um pouco o objetivo da anedota: a verdade a seu respeito é que você nem sequer sabe qual é a verdade a seu respeito.

Fiódor Dostoiévski escreve:

> Todo homem tem lembranças que não conta a todo mundo, mas somente a seus amigos. Tem outras lembranças que ele não revelaria nem mesmo a seus amigos, mas somente a si mesmo, e só o faria em segredo. Mas ainda há outras lembranças que um homem tem medo de contar até para si mesmo, e todo homem decente tem um considerável número dessas coisas guardadas em sua memória.[1]

A autoconscientização é essencial quando uma porta aberta se apresenta. A resposta às portas que Deus abre à nossa frente é uma questão não apenas de termos consciência do que está acontecendo fora de nós, mas também dentro de nós. Escolher por qual porta entrar implica não somente a leitura de minhas circunstâncias, como também a leitura de mim mesmo. "Por isso, pela graça que me foi dada digo a todos vocês: Ninguém tenha de si mesmo um conceito mais elevado do que deve ter; mas, ao contrário, tenha um conceito equilibrado, de acordo com a medida da fé que Deus lhe concedeu", escreve Paulo (Rm 12.3).

Para escolher portas com sabedoria, você precisa se tornar o maior perito do mundo acerca de si mesmo. Não de maneira ensimesmada. Há uma diferença abissal entre a autoconscientização e o egocentrismo. Você deve se tornar consciente de como Deus o fez, quais são seus interesses, valores e aptidões. E deve tomar ciência daqueles seus aspectos que você mais deseja evitar. O discernimento das portas abertas a seu redor requer uma conscientização quanto ao mundo que há dentro de você. E a falta de autoconscientização é uma desvantagem mutiladora que nenhuma cota de talento pode superar.

Quando Deus pôs uma porta aberta diante da igreja de Filadélfia, ele também ofereceu aos membros locais algumas observações sobre si mesmos. "Sei que você tem pouca força", disse ele (Ap 3.8). Isso provavelmente não era o que queriam ouvir. Não sabemos em que sentido eles tinham pouca força; talvez fossem pouco numerosos, carecessem de recursos financeiros ou tivessem baixo nível de *status* social e educação. Essa é uma carta que circulou por sete igrejas, de modo que não apenas a congregação deles teve de ouvir que Deus os considerava gente de pouca força; seis outras igrejas também tiveram de ouvir isso. Eles teriam de aceitar essa verdade sobre si mesmos se quisessem entrar pela porta aberta. Teriam de entrar pela porta com a força de Deus, não com seu próprio empenho.

Ao mesmo tempo, "pouca força" não foi a única verdade sobre eles. À mesma igreja foi dito: "Mas [você] guardou a minha palavra e não negou o meu nome" (Ap 3.8). Embora tivessem pouca força, os integrantes dessa igreja eram guardiões da palavra e honravam o nome do Senhor. Havia neles um coração obediente e um espírito presciente que lhes seria muito útil. E a porta que Deus lhes abriu veio acompanhada de toda a verdade sobre eles, em seus aspectos negativo e positivo.

Neste capítulo, vamos examinar as várias maneiras pelas quais o reconhecimento de portas abertas e o ingresso por elas revelam a verdade sobre nós mesmos e exigem que a enfrentemos.

Quais são meus pontos fortes? E os pontos fracos?

Se eu quiser entender quais portas Deus provavelmente vai colocar diante de mim, preciso ter alguma noção de quais são meus dons, virtudes, fraquezas e interesses. Paulo vai direto do pedido — que os cristãos pensem sobre si mesmos com sobriedade — para o discurso sobre a importância de as pessoas entenderem que receberam dons espirituais particulares (para ensinar, exortar, doar, coordenar etc.).

Quando ingressei na pós-graduação, sabia que estava interessado em psicologia e no que leva as pessoas a se comportarem como se comportam. Escolhi um programa de seis anos que me proporcionaria um doutorado em psicologia clínica, bem como um diploma em teologia. Pressupus que provavelmente passaria boa parte de minha carreira como terapeuta.

E então comecei a praticar terapia com as pessoas.

A sessão com minha primeira cliente foi um desastre. Meu professor foi Neil Warren, que mais tarde se tornaria famoso como fundador do *site* de relacionamentos eHarmony. Neil se formara na Universidade de Chicago, onde Carl Rogers era famoso por ensinar terapia não diretiva, centrada no paciente. Assim, recebemos instruções de acordo com essa linha. Na terapia centrada no paciente, o terapeuta não deve dar orientações, nem sugerir conselhos, nem sequer fazer perguntas. Tínhamos simplesmente de reformular os comentários do paciente para transmitir aceitação incondicional e respeito positivo.

O atendimento era também gravado, de modo que nosso superior pudesse certificar-se de que estávamos procedendo corretamente.

Uma jovem mulher entrou na sala que eu usava como consultório. Ela afirmou que não queria estar ali. O marido havia marcado a consulta contra a vontade dela.

— O que temos de fazer? — perguntou.

Olhei para o gravador.

— O que ouço você dizer é que não tem certeza do que vem em seguida — disse eu.

— Exato. Foi o que acabei de dizer. Qual é o plano? — perguntou ela de novo.

Olhei outra vez para o gravador.

— Minha impressão é que você está incerta em relação a qual será exatamente o próximo passo.

A coisa prosseguiu desse jeito pelos cinquenta minutos seguintes.

Aquilo foi tão penoso para mim que depois de terminarmos fui à biblioteca da escola e fiquei lendo o jornal durante uma hora, porque não suportava contar a minha experiência para ninguém ou sequer pensar em como a coisa fora ruim.

Continuei vendo aquela mulher por várias semanas depois. E eu gostaria de poder dizer que ela desabrochou. Gostaria de poder dizer que aquela mulher hoje é... Oprah Winfrey!

Mas não é. Ela acabou abandonando tudo aquilo em definitivo.

Percebi que, se tivesse de passar o resto de minha vida em uma saleta repetindo aquela experiência, preferiria cumprir prisão perpétua na Sibéria. Aquilo não foi um bom sinal.

Não que eu não desse valor à terapia, ou ao processo de cura que acontece no tratamento. Eu dou. Sou grato por isso em minha própria vida. Tampouco significa que eu seja tão horrível nesse trabalho. Com o tempo, avançando na pós-graduação, eu de fato tive alguns pacientes que não desistiram da terapia.

Mas logo aprendi algo sobre aquilo e ainda sou grato por isso.

Marcus Buckingham observa que seus pontos fortes não são simplesmente aquilo em que você é bom, e que seus pontos fracos não são apenas aquilo em que você é ruim. Na vida, haverá algumas atividades que você poderá praticar com grande eficiência, mas que o esgotarão.

> Que nome você dá a isso? Algo com que você foi agraciado para praticar com muita habilidade, mas com que você foi condenado a não se sentir à vontade. [...] Damos a isso o nome de *fraqueza*. Uma fraqueza é qualquer atividade que faz você se sentir mais fraco depois de praticá-la. Não importa o grau de sua competência nessa atividade, nem a quantia de dinheiro que você ganha com ela; se ao praticá-la você esgota sua energia, seria uma loucura você construir sua carreira centrando-se nela.[2]

Uma das maiores dificuldades para mim era pensar que estava desperdiçando todo o dinheiro e os anos investidos na pós-graduação. Os economistas às vezes falam de "custos irrecuperáveis", isto é, a tentação de continuar botando dinheiro em um empreendimento de alto risco por não se suportar o fato da perda.

Mas teria sido muito pior se eu tivesse passado os quarenta anos seguintes entrando por portas erradas, desperdiçando a vida sentado em saletas e praticando uma terapia ruim. Melhor reconhecer que entrei por uma porta não recomendável do que passar o resto da vida na sala errada.

O apóstolo Paulo diz: "Porque somos criação de Deus realizada em Cristo Jesus para fazermos boas obras, as quais Deus preparou antes para nós as praticarmos" (Ef 2.10). Em outras palavras, o mesmo Deus que criou você também fez as portas para você transpor e criou as tarefas para você executar. Em geral, ele não apenas lhe proporcionará a habilidade, mas também o interesse para fazer no longo prazo o que lhe pede.

Uma rigorosa autoconscientização sobre seus pontos fortes e fracos bem como de seus interesses será crucial para aprender sobre as portas colocadas diante de você.

O que me impulsiona?

Ser honesto acerca das portas que espero transpor me colocará frente a frente com a verdade acerca de minhas motivações, ambições e vaidades. Recentemente, recebi uma cópia de uma carta que escrevi 25 anos atrás. Eu havia lido um livro de Dallas Willard e lhe escrevi para dizer como aquilo significara muito para mim. Ele, por sua vez, me convidou para um encontro pessoal, o que abriu a porta para uma amizade que mudou minha vida.

Depois da morte de Dallas na primavera de 2013, a filha dele me enviou uma cópia daquela carta. Dallas a havia guardado por todos esses anos. Eu a guardei dentro do livro que amei. Valorizo aquele bilhete. Com exceção de três letras. Eu o assinei "John Ortberg, ph.D.".

Isso mesmo! Eu tinha de impressionar Dallas com as minhas credenciais.

O encontro com Dallas me abriu uma porta para o aprendizado e o crescimento que tanto valorizo. Mas foi embaraçoso ler como minha motivação fora impura, como até no primeiro contato eu estava tentando impressionar.

Todavia, se eu esperar para transpor uma porta até que minha motivação seja pura, nunca vou transpor porta nenhuma. Mas, se quiser seguir com Deus, terei de estar disposto a encarar verdades a meu respeito que eu preferiria não ver. Verificamos isso em uma impressionante história relatada no Evangelho:

> Enquanto estava subindo para Jerusalém, Jesus chamou em particular os doze discípulos e lhes disse: "Estamos subindo para Jerusalém, e o Filho do homem será entregue aos chefes dos sacerdotes e aos mestres da lei. Eles o condenarão à morte e o entregarão aos gentios para que zombem dele, o açoitem e o crucifiquem. No terceiro dia ele ressuscitará!" Então, aproximou-se de Jesus a mãe dos filhos de Zebedeu com seus filhos [Tiago e João] e, prostrando-se, fez-lhe um pedido. "O que você quer?", perguntou ele. Ela respondeu: "Declara que no teu Reino estes meus dois filhos se assentarão um à tua direita e o outro à tua esquerda".
>
> Mateus 20.17-21

Esse é um momento impressionante. Jesus diz a seus discípulos que está a caminho da morte. Mateus escreve: "*Então*, aproximou-se de Jesus a mãe dos filhos de Zebedeu...". Em outras palavras, imediatamente depois de Jesus afirmar que será traído, condenado, feito alvo de zombaria, flagelado e crucificado, ela diz: "Antes que isso aconteça, posso pedir uma coisinha?".

Isso é que é um bom timing. No último instante, posso conseguir o que quero. "Jesus, você poderia me fazer um favor? Sabe, meus meninos aqui, o Tiaguinho e o Joãozinho... Antes de você ser humilhado e martirizado no supremo ato de amor sacrificial e esvaziamento de si mesmo, será que não poderia providenciar uma promoção para os meus meninos? Será que não poderia conseguir um *upgrade* para eles? Eu sei que você tem doze discípulos e tudo o mais, mas não poderia garantir que meus meninos serão os discípulos nº 1 e nº 2?".

Essa prática — a de Jesus explicar seu chamado para o sofrimento e os discípulos tentarem conseguir uma promoção — ocorre três vezes em Mateus. Dale Bruner diz: "O evangelho quer que os discípulos se conscientizem de sua inata insensibilidade".[3]

Os rapazes não precisam pedir a Jesus pessoalmente, porque a mãezinha é quem vai fazer isso. Eles só precisam ficar lá, com cara de paisagem, modestos, como se, obviamente, preferissem que isso não estivesse acontecendo: eles apenas querem ver a mãezinha feliz. A mãe consegue se convencer de que isso é puramente um gesto de altruísmo, de amor materno. Ela não está fazendo nada para si própria, é claro. Ela está procurando o bem-estar dos filhos.

Ela tem um adesivo pronto para ser fixado no para-choque de seu carro: "Meus filhos são alunos premiados da Escola Elementar de Discipulado de Jesus". No mundo antigo, os pais às vezes gratificavam seu ego por meio das conquistas dos filhos. Essa não é uma cultura esquisita? Você consegue ao menos imaginar um mundo no qual os pais tentariam fazer esse tipo de coisa? A sra. Zebedeu é uma das primeiras mães a chegar inesperadamente de para-quedas para certificar-se de que seus meninos vão brilhar mais que os outros.

É possível ser pai ou mãe e sugar a vida das crianças conseguindo *status* por meio das conquistas delas — e, nesse processo, enganar a si mesmo, convencendo-se de que se trata apenas de amor e do desejo de que se saiam bem. Às vezes, levo meus filhos a transporem portas abertas, mas isso não tem a ver com o progresso deles; tem a ver realmente com o meu ego.

É isso que está acontecendo aqui. A mulher se ajoelha diante de Jesus. Essa é uma postura de humildade e entrega. Em outras palavras, é possível enganar a si mesmo de modo que — ao pedir garantia de direito, demonstrando arrogância e vaidade que todo mundo sabe reconhecer — você realmente pense que está sendo e parecendo humilde e altruísta.

O que me impulsiona a transpor portas abertas me revela essa mistura de desejo de servir a Deus e um desejo de servir ao meu ego. Não faz muito tempo, li uma "análise crítica" escrita por uma mulher depois de ter visitado nossa igreja. Disse ela: "Fiquei em pé lá no fundo e observei o pregador saudando as pessoas; sua atitude era simplesmente a de botar as pessoas para dentro e depois para fora. Ele olhava continuamente por sobre a cabeça das pessoas para saber quem era a próxima. Alguém lhe pediu auxílio; ele simplesmente ofereceu bajulação e não ajudou em nada".

Quando li aquilo, meu primeiro pensamento foi este: "Lamento que ela tenha vindo aqui numa semana em que o pregador era outro". Não, de fato meu primeiro pensamento, sinceramente, foi este: "Seja quem for, ela não me conhece. Não conhece meu temperamento. Não sabe como sou. Não sabe que meu tempo é exíguo. Não conhece meu coração. E tem mais: ela claramente decidiu não gostar de mim ou de nossa igreja, de modo que posso simplesmente rejeitar suas observações, a fim de que não me sinta desconfortável". Sim, esse foi meu primeiro pensamento.

Não precisei de nenhuma estratégia para fazer isso. Não precisei refletir. Foi simplesmente instintivo. Mas sei que não é bem assim. "De fato, será que nunca faço o que ela disse? Será que eu sempre, consistentemente, amo de verdade? Será que nunca ou quase nunca fico preso à minha pequena agenda e ao modo como estou me saindo? Será que sou realmente tão humilde e tão alheio à autopromoção que a indignação é a resposta adequada? Será que isso faz sentido mesmo?".

Seu Panqueca — *Hellooo!?* Se manca!

A verdade a meu respeito é que nem mesmo eu *quero* saber a verdade a meu respeito. A verdade a meu respeito é que só Deus sabe a verdade a meu respeito. A verdade a meu respeito é que, se eu encarar a verdade a meu respeito com Jesus, ela vai me machucar. De fato, vai me matar. Mas depois ela vai me trazer vida. Jesus disse: "[Vocês] conhecerão a verdade, e a verdade os libertará" — só que, primeiro, ela os fará sentir-se péssimos.

Buscar a porta aberta me mostrará a verdade a respeito do que realmente estou procurando.

De que modo costumo agir diante de portas abertas?
Todos temos nossas próprias tendências de resposta quando se trata de portas abertas. Elas se encaixam em duas grandes

categorias: a dos impulsivos e a dos resistentes. Algumas pessoas, quando imaginam novas oportunidades, tendem a concentrar-se no perigo, no risco e na incompetência, e tendem a recuar. Sua grande carência é a de coragem. Outras adoram portas abertas, mas entram por elas correndo sem antes pensar ou calcular os custos. Sua grande carência é a de discernimento. Aqui está um inventário. Veja de que lado você tende a se colocar:

IMPULSIVOS	RESISTENTES
Ativistas	Contemplativos
Tendem a pensar pouco	Tendem a pensar demais
Agem rápido demais	Agem devagar demais
Lema preferido: "Quem hesita perde".	Lema preferido: "Olhe antes de saltar".
Versículo bíblico preferido: "O que você está para fazer, faça depressa".	Versículo bíblico preferido: "O Senhor concede o sono àqueles que ele ama".
Pecados preferidos: pecados de comissão	Pecados preferidos: pecados de omissão
Vontade forte	Intelecto forte
Desconfiam da fraqueza	Desconfiam do poder

Os dois estilos têm pontos fortes e pontos fracos. Qualquer que seja o seu estilo, se você tiver um cônjuge, provavelmente ele seja do estilo oposto. Isso se confirma no meu caso. Não vou dizer aqui quem é o quê, mas minha mulher comprou uma casa que eu ainda não tinha visto. Quando não tínhamos dinheiro nenhum. Não que haja algo de errado nisso.

O santo padroeiro dos impulsivos é Pedro. Ele é naturalmente atraído por portas abertas. Quando convidado a seguir Jesus, é o primeiro de quem se tem registro de segui-lo "imediatamente". É o único discípulo que pula do barco para caminhar sobre a água. Ele responde ao chamado para defender Jesus, embora decepar a orelha de um soldado não seja uma boa estratégia. Muitas vezes, fala antes de pensar — aconselhando Jesus a não falar sobre ser crucificado, oferecendo-se para construir tendas para Moisés e Elias (e mais uma para Jesus) porque "não sabia o que dizer" (Mc 9.6), prometendo instintivamente ser fiel a Jesus acontecesse o que acontecesse, embora, mais tarde, viesse a negá-lo três vezes antes do amanhecer.

Um notório resistente a portas abertas descrito na Bíblia poderia ser Gideão. Quando o encontramos, ele está malhando trigo em um tanque de prensar uvas, para esconder-se dos midianitas (Jz 6.11). Malhar trigo em tanque de prensar uvas é como fazer apenas uma colher de café para um grande grupo de pessoas — um sinal de grande timidez e medo.

Quando chamado por Deus, sua resposta imediata é "Como posso libertar Israel? Meu clã é o menos importante de Manassés, e eu sou o menor da minha família" (Jz 6.15).

"Mas, Senhor, eu não me sinto em paz quanto a isso."

Se você está entre os resistentes, costuma se ver diante da tentação de justificar a passividade e dizer "não" à porta aberta por Deus. Muito famoso é o fato de que Gideão separa uma porção de lã antes de dizer "sim" ao chamado divino. Essa é uma das histórias mais mal compreendidas da Bíblia. A lã não foi um sinal de fé mostrado por Gideão. Deus já o havia chamado — Gideão sabia o que tinha de fazer. A porção de lã foi uma expressão de resistência. Deus reage à lã não como a uma afirmação pessoal de fé, mas como a uma concessão à dúvida de Gideão.

Se você está entre os impulsivos, precisa do apoio da sabedoria. Se é impulsivo, você tende a ser indisciplinado. Você pode ser descuidado, ou insensível em relação aos outros, ou movido pelo apetite. Talvez tenha dificuldade com recompensas postergadas. Você tem baixa tolerância à frustração. Facilmente se aborrece. Pode perder as estribeiras. Aqui vão algumas sugestões para você:

- Aconselhe-se com amigos sábios antes de mergulhar em uma ideia.
- Cultive relacionamentos com pessoas que são não apenas sábias, mas fortes o suficiente para convencer você a lhes dar satisfações.
- Passe algum tempo orando em relação a uma potencial porta aberta antes de pressupor que sua intuição é uma ordem divina.
- Estude e leia sobre uma necessidade antes de se entregar à ação.
- Quando chegar ao fim de um período de atividade, passe algum tempo refletindo, talvez na companhia de pessoas sábias de sua confiança, para que possa tornar-se uma pessoa mais sábia antes de entrar no próximo projeto.
- Assuma um compromisso e depois atenha-se de fato a ele, mesmo quando surgir o impulso seguinte, que parecerá mais interessante.

Se você é uma pessoa resistente, aquilo de que mais precisa é o que menos quer: outro desafio. Outra porta aberta. Aqui vão algumas sugestões para você:

- Fracasse em algum ponto. Quando isso acontecer, deixe que os outros fiquem sabendo. Descubra que o fracasso não é fatal.

- Tente "estar errado". Tente deixar que outras pessoas saibam que às vezes você erra.
- Ache um grande projeto que você sabe que não pode levar a cabo sem a ajuda de Deus. Dedique-se a ele.
- Saia por aí com alguns sujeitos impulsivos. Observe como eles correm riscos sem de fato morrer. Seguir um modelo da vida real é um grande meio de aprender.
- Pratique entrar por pequenas portas. Saúde um estranho, ofereça-se como voluntário para uma tarefa a mais no serviço, escreva uma carta a alguém que você admira (sem incluir suas credenciais após assiná-la).
- Tome uma decisão que seja suficientemente boa em vez de perfeita. Na próxima vez em que estiver em um hotel e a TV lhe der acesso a quatrocentos canais, assista simplesmente ao primeiro bom programa, em vez de zapear por todos os canais apenas para provar que escolheu o *melhor* programa.
- Tenha medo. Obedeça a Deus mesmo assim.

Muitas vezes, ficamos paralisados diante de decisões a tomar, por medo de não fazer a escolha perfeita. Como me disse Lysa TerKeurst: "Deus não pede decisões perfeitas, apenas decisões perfeitamente apresentadas". Conhecendo nossas tendências naturais, estamos equipados para apresentá-las a Deus de um jeito melhor.

O que de fato valorizo?

No início dos anos 1500, ao defender um castelo contra uma invasão francesa, um jovem nobre chamado Inácio teve sua perna estilhaçada por uma bala de canhão. Durante a convalescência, ele pediu algumas novelas românticas para se distrair, mas os únicos dois livros à sua disposição eram sobre a vida de Cristo e o crescimento espiritual.

Lendo esses livros, Inácio aprendeu uma profunda lição sobre o discernimento da vontade de Deus. Enquanto ia recuperando a saúde, ele tinha devaneios sobre seu futuro. Às vezes, imaginava-se vivendo futuras aventuras cortesãs e conseguindo glória ao atuar como um destemido soldado. (Ele de fato mandou quebrar novamente a perna para reconstituí-la, de modo que parecesse melhor em um apertado traje palaciano.) Esses devaneios eram vívidos e estimulantes no momento em que ocorriam. Mas com o tempo aquele jovem descobriu que, quando tais pensamentos se desvaneciam, ficava-lhe na memória uma sensação desagradável de vazio. Esses devaneios de perseguir uma fama pessoal deixavam-lhe na alma uma espécie de sabor residual que não combinava com a pessoa que Deus o convidava a ser.

Em outras ocasiões, Inácio começou a sonhar sobre servir a Deus. Esses sonhos também eram irresistíveis enquanto aconteciam. Mas o moço descobriu que, mesmo depois que os devaneios passavam, ele continuava sentindo-se alegre e feliz pensando neles. Não tinham o mesmo sabor residual amargo de seus sonhos de glória pessoal. Notou essa diferença e chegou à conclusão de que Deus o estava chamando a servir como guia e orientador espiritual, e não como soldado.

Suas reflexões sobre o desenvolvimento dessa conscientização — tanto acerca de seu próprio espírito quanto das maneiras pelas quais Deus nele atuava — acabaram sendo registradas por escrito, transformando-se em um roteiro intitulado Os exercícios espirituais, que, através dos séculos, vêm orientando milhões de pessoas na escolha de portas.[4] E esse método de prestar atenção às maneiras como Deus age em nosso espírito é útil até mesmo em relação a escolhas que não digam respeito à nossa vocação.

Por exemplo, algumas das mais importantes áreas em que Deus coloca portas abertas diante de nós envolvem a amizade. Exatamente como Deus nos abre portas para exercermos alguma influência, assim também ele abre portas para que tenhamos amigos. Mas a transposição da porta da amizade também requer discernimento. Pode haver pessoas em meu caminho cuja companhia seja encantadora e divertida, e elas podem até dizer coisas agradáveis na minha presença. Mas talvez elas me levem rumo à fofoca, à amargura, ao cinismo ou a atitudes que sei que não são as melhores para mim.

Quando entro por uma porta aberta e me coloco na posição de assumir compromissos concretos com pessoas reais, vivas, reflito e procuro descobrir se os princípios que imagino valorizar realmente regem minha vida. Exatamente como fez Inácio em relação a seus devaneios, posso refletir, quando não estou com essas pessoas, se a companhia delas me aproxima ou me afasta do que há de melhor em mim.

Pouco tempo atrás, Nancy e eu estávamos com dois casais que conhecemos há mais de trinta anos. Moramos atualmente em partes diferentes do país, mas passamos juntos vários dias intensos. Diversas vezes durante esses dias, forcei cada pessoa do grupo a ser totalmente autêntica em relação às outras, a aceitar o risco da sinceridade e da transparência — a identificar e avaliar portas relacionais abertas.

Mas depois aconteceu que o holofote foi direcionado sobre mim, e os outros disseram coisas como: "Sabe, John, intimidade é uma coisa boa. Nós gostamos disso. Mas às vezes você força a barra. Você sempre parece sentir essa necessidade de ser aquele que faz as perguntas ou que tenta fazer as pessoas responderem às perguntas, em vez de permitir que a conversa simplesmente aconteça. Ou então você fala demais sobre o que está fazendo. Você quer fazer que as coisas girem ao seu redor".

Olhei para eles. Conheço essas cinco pessoas há mais de trinta anos. Tenho uma boa amizade com duas delas desde o nono ano escolar.

Pensei: "Vou precisar fazer cinco novos amigos que não falem comigo desse jeito".

Depois, Nancy e eu conversamos por um longo tempo a sós. Aquilo às vezes se tornava um terreno acidentado, e a certa altura Nancy disse: "Você sabe, John, que amo seus amigos, mas por vezes tenho a sensação de que eu sempre tenho de entrar em seu mundo, dar atenção ao trabalho que você faz e ficar com essas pessoas. Você quase não entra no meu mundo".

Dei-me conta de que, por mais que eu valorizasse dizer a verdade, a honestidade e a autenticidade, eu não queria ouvir a verdade a meu respeito, porque a verdade a meu respeito é que preciso mudar de uma maneira que não quero mudar.

Ora, isso significa que, quando Nancy e eu temos esse tipo de conversa, ela está sempre certa e eu, sempre errado? Só Deus sabe com certeza. Mas eu sou pastor e, então estou perto de Deus; portanto, é provável que meu palpite nesse caso seja muito melhor, certo?

A verdade a meu respeito é que nunca sei qual é a verdade a meu respeito se eu não tiver algumas pessoas perto de mim que me amem e sejam corajosas. E, reconsiderando o caso, estou consciente de que quero e preciso de pessoas em minha vida que me amem o suficiente para enfrentar a dor em nosso relacionamento a fim de me convidar a crescer.

O apóstolo Paulo escreve: "Antes, seguindo a verdade em amor, cresçamos em tudo naquele que é a cabeça, Cristo" (Ef 4.15). Quem você convidou para lhe dizer a verdade em amor? E para quem você está fazendo o mesmo?

Nossa igreja está trabalhando nisso em grupo, porque realmente levamos a sério a intenção de viver isso de dentro para fora. Há pouco mais de um ano, fizemos um exercício denominado "O aquário", e esse termo passou a fazer parte de nosso vocabulário. Contratamos uma profissional para nos ajudar. Ela começou dedicando várias semanas à tarefa de fazer todos os membros do grupo apresentarem por escrito suas observações mais sinceras uns sobre os outros, de modo que o exercício se realizasse em um ambiente muito seguro e nós fôssemos realmente sinceros.

O passo seguinte foi conversar sobre essas observações em particular com a profissional, que, repito, inspirava certa confiança por ser uma pessoa de fora. Então, fomos estimulados a escrever em grandes pôsteres todas essas observações, que incluíam coisas bastante indigestas. Depois todos se reuniram, não por um mas por vários dias, desde o início da manhã até o fim das atividades programadas. Colocávamos uma pessoa no centro da sala e cada um, individualmente, dizia a ela as verdades mais duras a respeito de suas observações e preocupações.

Essa atividade se chama "O aquário" porque, em um recipiente desse tipo, os peixes vivem sob exposição transparente. Existe apenas vidro, água e luz. Pode-se ver tudo. Outros animais não passam por isso. Os morcegos só acordam durante a noite; os gatos moram debaixo de uma cama com roedores mortos, os quais ninguém pode ver. Gatos e morcegos preferem a escuridão, mas, em um aquário, os peixes vivem sob luz.

O aquário é isso. Nossa treinadora me disse: "A propósito, você é o líder; portanto, a coisa começa com você. Você tem de ficar no aquário primeiro, e permanecerá nele mais tempo que todos os outros da equipe".

Assim, fiquei sentado naquele aquário por várias horas.

Há muito tempo Jesus afirmou que, antes de sairmos por aí identificando ciscos nos olhos de outras pessoas, deveríamos remover as vigas de nossos olhos. Sempre há uma viga. Aprendi muito mais com o tempo em que fiquei exposto no aquário do que com todas as (mais confortáveis) horas em que outros ficaram expostos.

Deus nos chama para a aventura das portas abertas. Temos de transpor essas portas por amor ao próximo.

Em contrapartida, descobriremos a dura verdade a respeito de nós mesmos, e essa verdade nem sempre é lisonjeira. Somos, cada um de nós, seres humanos com "pouca força" quando dependemos somente de nosso poder. Mas o Deus que abre a porta é o Deus que nos dá força para entrar por ela. Quando entramos, descobrimos que não estamos apenas ingressando em um novo território. Estamos nos tornando pessoas novas.

8

O COMPLEXO DE JONAS

A palavra do Senhor veio a Jonas: "Você deve ir até Nínive; deve encher-se de energia e exercer todas as habilidades que coloquei à sua disposição para realizar uma grande obra naquela cidade, e deve proclamar minha palavra com coragem e paixão. As pessoas vão responder positivamente, o bem triunfará, estilos de vida mudarão, e a cidade será renovada por meio daquilo que vou fazer com você". E Jonas disse: "Não, obrigado. Vamos mandar Naum tentar isso. Naum tenta qualquer coisa. A que horas zarpa o navio para Társis?".

Deus é o Deus das portas abertas. Ele abre portas em toda parte ao nosso redor: são oportunidades ilimitadas de contribuir — de formas expressivas ou simples — em benefício da humanidade; são chances de fazer que nossa vida tenha importância para a eternidade. Quem não quereria isso?

Eu não quereria. Anseio por portas abertas, mas não aceito entrar por elas. Recuo no limiar. Não as enxergo. Ou enxergo, mas não as transponho.

Abraham Maslow identificou essa estranha tendência que temos de fugir de nosso destino e a denominou de "Complexo de Jonas". É uma fuga do crescimento, uma defesa contra uma convocação. "Se você deliberadamente planeja ser menos do que é capaz de ser, então tenho de avisá-lo de que será profundamente infeliz pelo resto de sua vida. Você vai deliberadamente evitar o uso de suas capacidades, de suas possibilidades."[1]

Por causa disso, disse ele, nós também externamos uma reação confusa a outras pessoas que de fato dizem "sim" de todo o seu coração ao chamado de Deus. "Certamente amamos e admiramos todas as pessoas que encarnaram o verdadeiro, o bom, o belo, o justo, o perfeito, o máximo sucesso. No entanto, elas também nos causam mal-estar, ansiedade, confusão e talvez um pouco de ciúme e inveja, um pouco de inferioridade e inépcia."[2]

Nas Escrituras, todas as vezes que Deus abre uma porta para alguém, há uma espécie de luta decisiva e breve. Ele chama; quem é chamado resiste por uma ou por outra razão; e depois ocorre uma decisão. Na maioria das vezes, sendo a Bíblia a história de Deus, aquele que é chamado por ele acaba dizendo "sim". Em alguns casos, como no do jovem rico descrito no Evangelho, a porta é rejeitada.

Dentre todas as narrativas bíblicas, talvez a história de Jonas seja o mais famoso e pitoresco exemplo de alguém que se evade de seu destino divino. Em um maravilhoso comentário sobre Jonas, Phillip Cary diz que a narrativa é apresentada de tal maneira que singularmente deixa que cada indivíduo tenha de imaginar sua resposta pessoal a Deus.³ Um dos problemas no caso de Jonas é que muitos de nós acham que conhecem a história, mas não a conhecemos.

As pessoas medianas normalmente associam Jonas a outro personagem: elas vinculam a história de Jonas à baleia. O nome da baleia é Monstro, e Jonas está fugindo de Gepeto e quer ser um menino de verdade, e... Bem, as pessoas se confundem um pouco nesse ponto.

Mas Jonas é realmente "o santo padroeiro das vocações recusadas".⁴ Sua história continua inesquecível por ser o maior exemplo, em toda a literatura bíblica, de recusa a uma porta aberta por Deus. Nessa narrativa, todas as nossas evasões nos são mostradas como em um espelho. Examinando Jonas agora, aprenderemos as razões de nossas tentativas de dizer "não" a Deus. Desse modo, talvez possamos aprender a dizer sim.

O impedimento causado pelo medo

"A palavra do SENHOR veio a Jonas, filho de Amitai, com esta ordem: 'Vá depressa à grande cidade de Nínive e pregue contra ela, porque a sua maldade subiu até a minha presença'" (Jn 1.1-2). Adiante, o termo "grande" vai aparecer de novo.

Jonas era um profeta, não um sacerdote. Os sacerdotes serviam no templo. Ofereciam sacrifícios. Presidiam cultos. O profeta era diferente. Era um reformador. O profeta era um ativista, uma espécie de crítico irritante, um agitador sociopolítico. Os profetas estavam sempre atormentando a consciência das pessoas. Israel sempre teve muitos sacerdotes, mas, em geral, havia apenas um profeta em cada época porque era só isso que Israel podia suportar.

Um dia, a palavra do Senhor veio a Jonas. Quando ouvimos Deus dirigindo-se a nós (às vezes acontece), pode tratar-se apenas de algumas palavras, mas isso muda a nossa vida.

A vida não é fácil para o profeta. A palavra de Deus veio a ele:

Você poderia, aceitaria ir pregar?
Você poderia, aceitaria ir ajudar
Os cidadãos assírios,
Seguindo os meus desígnios?

Ao que Jonas responde:

Eu não iria lá em nenhuma nave,
Muito menos em um barco inflável.

Não iria no dorso de uma sereia,
Muito menos no ventre de uma baleia.

Não gosto de quem mora por lá.
Se todos morrerem, isso não me importará.

Eu nunca vou morar naquela cidade.
Antes morrer afogado. Verdade!

Pra lá não vou por terra nem por mar.
Pare com isso. Só me deixe estar.

Jonas era um profeta, mas era um profeta para Israel. Não tinha nada a ver com outros países. Eles não tinham as Escrituras. Não tinham um templo. Não sabiam nada sobre sacrifícios. Não conheciam a Deus. A palavra veio a Jonas: "Vá para Nínive e pregue". É impressionante como isso está formulado. Não se disse "Vá para Nínive e pregue *para* a cidade"; mas "Vá para Nínive e pregue *contra* a cidade". Essa é uma tarefa assustadora.

Nínive era a capital da Assíria. Nos séculos 7 e 8 a.C., a Assíria era *a* grande potência mundial. Ela devorava e cuspia países a torto e a direito. Obrigava os povos dos países que derrotava a marchar para a morte. A prática do genocídio era uma política de estado. Quando Israel foi dividido em duas partes, havia o reino do norte, com dez tribos, e o reino do sul, com apenas duas tribos. O reino do norte foi capturado e evaporado, obliterado, pela Assíria.

Nínive era tão odiada que o profeta Naum a chamou de "cidade sanguinária". Foi assim que ele a denominou. Esse era seu título. "Ai da cidade sanguinária, repleta de fraudes e cheia de roubos, sempre fazendo as suas vítimas!" Pense agora nisto: "Muitos mortos, montanhas de cadáveres, corpos sem conta, gente tropeçando por cima deles" (Na 3.1,3).

Naum prevê a queda de Nínive: "Não há cura para a sua chaga; a sua ferida é mortal. Quem ouve notícias a seu respeito bate palmas pela sua queda, pois, quem não sofreu por sua crueldade sem limites?" (Na 3.19). Nínive é muito odiada, não apenas pela crueldade, mas por sua crueldade sem limites. Quando for destruída, diz Naum, as pessoas vão bater palmas. Elas vão ficar de pé e aplaudir.

Naum proferiu palavras condenatórias muito fortes sobre Nínive, mas onde você acha que ele estava quando as pronunciou?

Estava em Israel.

Em seguida, a palavra de Deus vem a Jonas:

— Vá para Nínive. Aprenda a falar a língua dos assírios e diga àquele povo que ele está sendo julgado.

Jonas responde:

— Senhor, Naum andou zombando deles à distância. Será que não podíamos, sei lá, enviar um telegrama ou algo assim?

A palavra do Senhor veio a Jonas. Como isso ocorreu? Foi em uma sarça ardente? Foi uma minúscula voz silenciosa? Foi um anjo? Foi uma visão? Foi um sonho? Houve espaço para dúvidas? O texto não esclarece.

Será que as pessoas próximas de Jonas sabiam? Existia uma sra. Jonas? Será que Jonas foi para casa e ouviu da sra. Jonas a pergunta:

— Como foi seu trabalho hoje?

Ao que ele respondeu:

— Bem, vou ter de viajar para a Assíria e condenar o povo de lá frente a frente.

Será que ele ouviu sua mulher responder: "Está maluco!"?

O texto não diz. Registra apenas que a palavra do Senhor veio a Jonas: "Vá para Nínive".

O que sabemos é que Deus abriu uma porta para Jonas, e este não só não entrou por ela como fugiu na direção oposta. O provável é que tenha agido assim porque sentiu medo. "Eu sou muito corajoso em geral, mas acontece que hoje estou com dor de cabeça", disse Tweedledum em *Alice através do espelho*, de Lewis Carroll.[5]

Deus disse a Jonas: "Coloquei diante de você uma porta aberta. Ela conduz até Nínive".

Jonas teria ido, mas estava com dor de cabeça.

Às vezes, portas abertas não são divertidas. Às vezes, não são seguras. Sempre estão relacionadas com alguma coisa maior do que nosso benefício pessoal. Muito frequentemente, conduzem para Nínive.

Nínive é o lugar para o qual Deus chama você... e para o qual você não quer ir. Nínive é problema. É perigo. É medo. O que você faz quando Deus lhe diz: "Vá para Nínive; vá para aquele lugar aonde você não quer ir"? Ele lhe dirá isso.

Ora, Jonas reage à palavra do Senhor. Ele de fato sai de casa, mas não rumo a Nínive. Ele viaja para Társis.

Pode acontecer o seguinte: eu sei que Deus está me pedindo que eu vá para Nínive. Sei que Deus quer que me defronte com determinada pessoa, tenha uma conversa com ela sobre a verdade, mas isso seria difícil. Seria desagradável. Não quero encarar esse sofrimento; então, vou simplesmente viajar para Társis.

Sei que Deus está me chamando para servir nesta área, mas eu não quero isso. Talvez seja humilhante. Talvez seja difícil. Talvez seja assustador. Não quero fazer isso, por isso fujo para Társis.

Sei que Deus me chamou para ensinar, aconselhar, construir, convidar ou doar, mas eu poderia fracassar. A tarefa poderia ser difícil. Eu poderia me sentir nervoso. E então vou embarcar num navio que parte para Társis.

Mas aqui está o que importa: nunca se supera o medo evitando determinada situação. Nós nascemos para ser corajosos. A ordem consistente a nós lançada veio a um líder temeroso chamado Josué: "Seja forte e corajoso! [...] pois o Senhor, o seu Deus, estará com você" (Js 1.9). Por três vezes no primeiro capítulo do livro de Jonas, recebemos a informação de que esse profeta foge — não apenas de sua vocação, mas da presença do Senhor (ver Jn 1.3). No entanto, o antídoto para o medo é a presença divina.

O impedimento causado pela disponibilidade de outras opções

Jonas desce para Jope, uma cidade portuária, onde ele descobre um navio que vai para Társis. "Depois de pagar a passagem, embarcou para Társis, para fugir do Senhor" (1.3).

Um detalhe que hoje em dia poderia passar despercebido é que o texto diz que Jonas *pagou* pela passagem. Isso é muito importante. Nos tempos de Jonas, o dinheiro ainda era relativamente uma novidade. O mundo antigo usava a economia do escambo, e o dinheiro era extremamente escasso entre o povo de Israel. Quase ninguém seria capaz de fazer o que fez Jonas.

O profeta tinha dinheiro suficiente para pagar do próprio bolso uma passagem de longa distância. Ele tinha mobilidade; tinha opções. Aqui está uma das coisas mais perigosas acerca do dinheiro: a posse dele facilita a convicção de que podemos fugir de Deus, porque temos outras opções. Às vezes, a convivência de um profeta com o dinheiro é problemática.

Lembro-me aqui de um homem que gosta muito de lecionar; sua paixão é capacitar crianças para o aprendizado. Se ele tivesse deixado sua paixão pelo ensino lhe revelar portas divinas em sua vida, teria sido um fabuloso professor no ensino primário.

Mas ele pertence a uma família de pessoas muito bem-sucedidas. Seus pais teriam ficado um tanto embaraçados se ele fosse "apenas" um professor primário. "Você precisa explorar outras opções", disseram-lhe.

Ter "opções" de ganhar dinheiro e obter um *status* superior realmente impediu o que poderia ter sido a opção ideal para aquele homem. Ele acabou ganhando muito mais dinheiro do que ganharia se tivesse se tornado professor. Porém, não experimentou a vida plenamente.

Conseguiu um MBA. Mas foi na Universidade de Társis.

Quando eu estava no oitavo ano, havia uma menina em nossa turma a quem vou chamar de Shirley. Ela era estranha; usava as roupas erradas. Tinha cabelo ruivo, sardas e dentes de coelho. Ninguém se sentava perto dela na hora do lanche; ninguém a convidava para fazer parte de sua equipe.

Eu poderia ter feito essas coisas. Poderia ter sido amigo dela. Ou poderia pelo menos ter feito um esforço para ser gentil com ela. Mas não fiz. Acho que eu tinha medo de que, se o fizesse, poderia ser rejeitado como ela. Eu não era o menino mais popular da turma, mas não era tão rejeitado como Shirley, e não estava disposto a renunciar ao meu *status* para ser amigo dela.

Eu estava fugindo para Társis.

Társis é significativa, não apenas por situar-se na direção oposta à de Nínive, mas porque, sob muitos pontos de vista, era o tipo oposto de cidade.

Nínive era uma cidade militar. Társis não era desse tipo, mas tinha muita riqueza. Seu comércio era pioneiro. A prática comercial por via marítima implicava uma espécie de tecnologia nova e estava enriquecendo algumas pessoas. O que não é necessariamente ruim, mas é meio caminho rumo à ganância, à arrogância e à soberba. De modo que a expressão "um navio de Társis" funcionava como um símbolo de riqueza no mundo antigo.

Isso de fato ocorre várias vezes no Antigo Testamento. Isaías diz: "Porque o Dia do Senhor dos Exércitos será contra todo soberbo e altivo e contra todo aquele que se exalta [...] contra todos os navios de Társis [...]. A arrogância do homem será abatida" (2.12,16-17, RA).

Uma imagem semelhante é empregada em Ezequiel: "Os navios de Társis transportam os seus bens. [...] com sua grande riqueza e com seus bens você enriqueceu os reis da terra. Agora, destruída pelo mar, você jaz nas profundezas das águas" (27.25,33-34).

Os navios de Társis se tornaram símbolos de riqueza, autossuficiência, poder e ganância. É difícil imaginar que outrora um grupo de seres humanos estava tão iludido a ponto de imaginar que a tecnologia, a riqueza e um sistema econômico inteligente poderia garantir-lhe segurança?

Jonas fugiu para Wall Street. Jonas fugiu para a Madison Avenue. Jonas fugiu para o Vale do Silício. Jonas embarca no navio de Társis. Há muito tempo as pessoas vêm buscando aquela embarcação. Jonas acha que está correndo rumo à segurança, mas talvez o que parece realmente seguro do ponto de vista humano não é, de fato, nada seguro. Talvez o único lugar seguro consista em seguir a vontade de Deus, mesmo que isso signifique escolher a porta para Nínive, aquele lugar assustador para onde você não quer ir.

O impedimento causado pela cegueira em relação à porta aberta

O barco de Jonas zarpa mar adentro. Outra porta vai se abrir para ele, mas estará muito disfarçada.

> O SENHOR, porém, fez soprar um forte vento sobre o mar, e caiu uma tempestade tão violenta que o barco ameaçava arrebentar-se. Todos os marinheiros ficaram com medo e cada um clamava

ao seu próprio deus. E atiraram as cargas ao mar para tornar o navio mais leve.

Jonas 1.4-5

Esses marinheiros são profissionais. Não se assustam facilmente, mas agora estão em pânico. Na Antiguidade, época em que a expectativa de vida era baixa, uma viagem como essa podia levar anos. Podia ser a única chance de alguém conseguir uma grande fortuna. Os marinheiros estão lançando ao mar todas as suas esperanças, cada um clamando ao seu deus. No mundo deles, cada grupo étnico ou tribal tinha seu deus particular. Nós às vezes pensamos que inventamos o multiculturalismo, mas aqui temos uma tripulação muito diversa, multicultural, dando provas de um vibrante pluralismo religioso. Cada um pedia ajuda ao seu próprio deus.

Quando o mar está calmo, qualquer nome antigo de qualquer deus antigo é válido. Mas, quando irrompe a tempestade, tudo muda, e espera-se que um dos deuses invocados se mostre real.

Enquanto isso, Jonas está deixando escapar a grande porta aberta de sua vida, dormindo profundamente no porão do navio. Quando penso nessa parte da história, lembro-me de uma ocasião em que levei minha filha para ver baleias. Gosto de baleias, mas não me dou muito bem com barcos. Sofro de enjoos. Por isso, quando levei Mallory para ver baleias, tomei um monte de comprimidos contra náuseas e a orientei a fazer o mesmo.

Fiquei com tanto sono que dormi e babei no convés do barco. Todo mundo ficou nos olhando. Depois, acabei bebendo muito café e fiz Mallory tomar muito chá, em uma tentativa de ficarmos acordados. Finalmente apareceu uma baleia. Quando vi a cauda do animal, eu disse: "Ali, Mal, olha! Uma baleia!". Então voltei a dormir, tendo acordado apenas ao chegar de volta ao cais.

Jonas está dormindo em um barco turbulento, sem ajuda de comprimidos, e o capitão está atônito. Ele diz a Jonas: "Como você pode ficar aí dormindo? Levante-se e clame ao seu deus! Talvez ele tenha piedade de nós e não morramos" (Jn 1.6).

Ora, trata-se de uma tremenda ironia. O capitão pagão de um navio gentio está chamando o homem de Deus à oração. O pagão está fazendo o que fazem os profetas: apresentando um convite para orar. O profeta está fazendo o que fazem os pagãos: dormindo na hora da oração. Deus está preparando alguma coisa.

Jonas não confessa nada, de modo que os marinheiros tiram sortes para identificar o problema. A sorte indica que o problema é Jonas.

— Qual é a sua história? — os marinheiros lhe perguntam.

— "Eu sou hebreu, adorador do Senhor, o Deus dos céus, que fez o mar e a terra" (Jn 1.9).

Isso os deixou apavorados. Segundo diz uma versão: "Então, os homens ficaram possuídos de grande temor" (RA). (Temos de novo a palavra "grande".) O texto é ambíguo: talvez os marinheiros tenham ficado possuídos de grande temor, quem sabe um temor redentor, e perguntaram: "O que foi que você fez?", pois sabiam que "Jonas estava fugindo do Senhor, porque ele já lhes tinha dito" (v. 10).

A observação adicionada à pergunta nos diz que algo maravilhoso está acontecendo, e a linguagem usada pelo autor para se referir a Deus nos dá uma pista. Nas Escrituras hebraicas, três palavras principais são empregadas para referir-se ao que é divino. *Elohim* é um termo genérico, geralmente traduzido por "Deus". Esse termo pode se referir a qualquer um dos deuses de qualquer tribo. *Adonai* é frequentemente traduzido por "Senhor"; no mundo antigo, era um título genérico de respeito para quem tivesse autoridade. YHWH é a forma mais santa e mais sagrada, por ser o nome empregado por Deus para revelar-se ao seu povo. Era tão sagrado que os judeus piedosos nem sequer o pronunciavam. Na maioria das traduções atuais, quando "Senhor" é escrito com todas as letras maiúsculas, trata-se da tradução de YHWH. Esse não é um nome genérico; refere-se unicamente ao Deus de Israel.

Nessa história, os marinheiros oraram cada um a seu próprio *elohim*.

Mas Jonas lhes fala sobre YHWH, o Deus que revela ao povo o seu nome, que quer ser conhecido, que criou os mares e os territórios. Tal linguagem era conhecida por todos os gentios.

Ora, essa é a razão da observação adicional no texto. Os marinheiros já sabem que Jonas está fugindo do seu Deus. Eles imaginam que se trata apenas de um deus tribal de Israel. Mas são informados de que existe um único grande Deus. Ficam sabendo o nome dele. Percebem seu poder. E são tomados de grande temor.

Eles passam a conhecer o Deus de Jonas, nesse navio de Társis que segue em meio a uma tempestade. Uma das razões de eles acreditarem em Jonas é que este se apresenta como um atrapalhado, um cabeça-dura, um equívoco. Ele fora profeta durante muitos anos. Esta será a maior conversão de gentios em massa que ele jamais viu, e Deus usa justamente a falha de

Jonas para trazê-los à fé. A história de Jonas pode ser qualquer outra coisa, mas não uma narrativa sobre um plano humano. É uma porta que "foi aberta", ninguém a abriu.

Às vezes, eu me surpreendo fugindo de Nínive, e uma porta se abre em um navio de Társis. Às vezes, deixo de transpor portas abertas por não reconhecer a presença delas.

Chuck Colson caiu em desgraça e foi condenado à prisão; ali, ele viu portas se abrindo para o ministério, oportunidades que nunca se abriram para ele enquanto esteve na Casa Branca. Helen Keller enfrentou deficiências graves; no entanto, justamente por causa delas, divisou uma porta aberta que lhe permitiu ajudar milhões de pessoas. Uma professora de escola dominical chamada Rosa Parks recebeu a ordem de sentar-se no fundo do ônibus, mas sua silenciosa recusa abriu a porta para a conscientização de uma nação.

Na manhã de um dia de Páscoa, uma senhora em nossa igreja disse a um menino de 8 anos que estava muito bem vestido:

— Você está lindo. Comprou essa roupa para a Páscoa?

— Não — explicou o menininho.

Ele a havia comprado para o funeral de seu pai, falecido poucas semanas antes.

Acontece que, aos 8 anos, essa senhora também perdera o pai. Ela caiu de joelhos, abraçou o menino e conversou com ele como a única pessoa no mundo que sabia exatamente como o garoto se sentia.

Quantas portas abertas existem ao meu redor (alguém se sente só, alguém espera para ser incentivado, alguém está sofrendo com a rejeição, alguém é torturado pelo sentimento de culpa), simplesmente esperando que eu preste atenção?

O impedimento causado pelo sentimento de culpa ou de incompetência

Os marinheiros perguntam a Jonas: "O que devemos fazer com você, para que o mar se acalme?". Jonas responde: "Peguem-me e joguem-me ao mar, e ele se acalmará. Pois eu sei que é por minha causa que esta violenta tempestade caiu sobre vocês" (Jn 1.11-12).

Jonas decide parar de fugir, mas acha que sua história está concluída devido ao erro que cometeu.

A história de Arthur Kemp está registrada em um livro intitulado *God's Yes Was Louder than My No: Rethinking the African American Call to Ministry* [O "sim" de Deus soou mais forte que o meu "não": repensando o chamado afro-americano para o ministério]. Quando Kemp era muito jovem, sua família havia prenunciado que ele seria um pregador, e, já adulto, ele ouviu nitidamente Deus lhe dizendo: "Cuide das minhas ovelhas". Reconheceu aquilo como um chamado à pregação. Mas Kemp embarcou em um navio para Társis.

Passou a década seguinte de sua vida tentando provar como era indigno. "Resolvi que eu seria o pior ser humano possível, a fim de parecer inepto para atuar como ministro."[6] Ele passou a beber, o que antes não fazia; aprendeu a jogar e entregou-se à jogatina; começou a atuar como traficante de drogas e como gigolô, tudo isso só para fugir de sua vocação.

Para ele, optar por Társis era viver na rua e perder toda a sua autoestima. Até que uma noite ele participou de um encontro de oração: a tempestade irrompeu, e ele caiu em pranto: "Eu tenho de pregar, eu tenho de pregar", repetia. O pastor lhe disse que ele não teria paz enquanto não o fizesse.

O "sim" de Deus soa mais forte que o meu "não".

Mas o "não" de Jonas é bastante forte. Ele orienta os marinheiros para que o joguem ao mar.

Curiosamente, os marinheiros se recusam. "Ao invés disso, os homens se esforçaram ao máximo para remar de volta à terra. Mas não conseguiram, porque o mar tinha ficado ainda mais violento" (Jn 1.13). A vida deles está em jogo, mas eles não querem sacrificar a vida desse estrangeiro hebreu, o que surpreende, porque isso está relatado nas Escrituras hebraicas. Os marinheiros no navio de Társis têm mais compaixão (mais pura e simples humanidade) para com o profeta hebreu do que este teve para com o povo de Nínive.

Precisamos realmente tomar muito cuidado quando se trata de julgar quem é bom e quem é mau, quem está do lado de Deus e quem não está.

Então, os marinheiros fazem uma reunião de oração. Eles clamam: "Senhor, nós suplicamos, não nos deixes morrer por tirarmos a vida deste homem. Não caia sobre nós a culpa de matar um inocente, porque tu, ó Senhor, fizeste o que desejavas" (Jn 1.14).

Três vezes eles o invocam pelo nome YHWH. Com isso, o autor nos dá uma pancada na cabeça, prevenindo-se contra o caso de sermos leitores obtusos.

Eles o levam para um dos lados do barco.

Imagine as cenas. Terrível tempestade, marinheiros apavorados, profeta fugitivo, barco emborcando. O corpo de Jonas é lançado às águas. No convés, de repente, tudo se acalma. A tempestade passou.

"Ao verem isso, os homens adoraram o Senhor com temor" — algumas versões apresentam mais uma vez o termo "grande", referindo-se ao temor —, "oferecendo-lhe sacrifício"

— isso é um ato de adoração — "e fazendo-lhe votos" — um ato de comprometimento, de devoção (Jn 1.16).

Esse barco pagão torna-se um lugar de adoração. O navio de Társis torna-se um templo do Deus vivo. Esse não foi o plano de Jonas. Acontece que, no fim das contas, os marinheiros desse navio não são coadjuvantes na história. Esse não é um detalhe descartável em um relato sobre Nínive. Ocorre que a história de Deus é tão grande que é também uma história sobre Társis. Ocorre que Jonas achava ser capaz de frustrar o que Deus queria fazer. Ocorre que Deus está atuando de maneiras que Jonas nem sequer pode começar a sonhar.

A porta que Jonas fechou para Deus torna-se a porta aberta para os marinheiros.

Se Dr. Seuss resumisse essa narrativa até aqui, teríamos algo assim:

> Deus diz: "Vá".
> Jonas diz: "Não dá".
> Deus diz: "Tufão!".
> Jonas diz: "Então?".
> O capitão diz: "Joguem no mar".
> Jonas diz: "Podem jogar".
> Os marinheiros dizem: "Lá vai!".
>
> E eles jogam Jonas, que vai para o fundo.
> Mas Deus tem outros planos para ele no mundo.

Deixamos de encontrar portas quando desistimos de orar
Ouvimos essa história com demasiada frequência. Imagine, então, como é ouvi-la exatamente pela primeira vez. Jonas está

afundando no mar, mas o Senhor "fez que" um grande peixe engolisse Jonas.

Jonas ficou três dias e três noites dentro do peixe. Se isso não impressionar você como algo no mínimo um pouco risível, tem algo de errado com seu sentimento de alegria, e você precisa desse sentimento para levar uma vida propícia a portas abertas.

A expressão "fez que" poderia ser substituída por "autorizou". É um termo de governo. É o que faria um rei se estivesse nomeando um embaixador, um mensageiro ou algo do gênero. Mas ela é usada em referência a um peixe.

— Ei, peixe — diz Deus.

— Pois não, Senhor? — responde o animal.

— Vá apanhar Jonas. Orientações serão dadas com base no que você precisar saber. Uma coisa importante: engula, não mastigue. Depois vou lhe dizer onde largá-lo.

— Tudo bem, Senhor.

No que se refere a acatar ordens, esse peixe é melhor do que o profeta de Deus.

A palavra básica associada a Deus nessa história é "grande". O texto começa com Deus dizendo a Jonas: "Vá depressa à *grande* cidade de Nínive", pois o Senhor tem um grande coração e se sensibiliza pela grande cidade. Depois, Jonas corre na direção oposta, e então a Bíblia diz que Deus fez soprar um *grande* vento, que provocou uma *grande* tempestade. Em seguida, os marinheiros pagãos são convertidos por meio de um *grande* medo. Então, Deus manda um peixe socorrer Jonas, um animal descrito como sendo *grande*.

Jonas, em contrapartida, confunde tudo. Se a palavra principal para Deus nesse relato é "grande", a palavra principal para Jonas é o verbo "descer".

Deus diz: "Vá para Nínive", e Jonas *desce* à cidade de Jope. Depois, o navio *desceu* para Társis. Em seguida, no navio, Jonas *desce* ao porão, onde cai no sono. Então, ele *desce* para o fundo das águas em meio à tempestade. Depois, *desce* pela goela do peixe. Jonas chega ao fundo.

Para um israelita, ninguém atinge um nível mais baixo do que esse. O mar era um lugar de imenso medo, imenso terror. Um lugar de morte.

Um grande peixe não é exatamente o meio de transporte que Jonas tinha em mente quando saiu de Jope. Mas ele tem a oportunidade de aprender alguma coisa sobre a estranha, desconcertante, hilária graça de Deus.

A baleia dada, não se olha os dentes.

"Dentro do peixe, Jonas orou ao Senhor, o seu Deus. E disse: 'Em meu desespero clamei ao Senhor, e ele me respondeu. Do ventre da morte gritei por socorro, e ouviste o meu clamor'" (Jn 2.1-2).

Ele não orou quando foi chamado para Nínive, quando fugiu para Társis, nem quando a tempestade veio sobre o barco. Ele só falou com Deus quando se viu dentro de um peixe.

Por que Jonas orou dentro do peixe?

Porque não tinha nada melhor a fazer.

Deus faz Jonas descer, descer, descer, descer para um lugar de desespero, dentro de um peixe, no fundo do mar. A verdade pura e simples é que Jonas recorre a Deus porque não tem ninguém mais a quem recorrer. Todo o primeiro capítulo da história de Jonas mostra a ação humana. Jonas faz planos. Jonas tem recursos. Jonas viaja para diferentes lugares... e tudo é um desastre. Então, irrompe a tempestade, e a história de Jonas é subitamente interrompida.

No segundo capítulo de Jonas, não há ação nenhuma. Somente oração. Depois, coisas boas começam a acontecer.

Quando o apóstolo Paulo quer abrir portas, ele começa pela oração. Portas abertas são interações entre o céu e a terra, e é por isso que elas se formam na oração.

Se eu quero uma aventura com Deus, posso começar orando hoje por portas abertas. "Meu Deus, tu poderias me abrir hoje portas de encorajamento, portas de oportunidade, portas de possibilidade, portas de generosidade? Meu Deus, faze deste dia um dia de portas abertas."

Não preciso esperar até atingir o fundo.

É interessante notar que a Bíblia apresenta outro relato de naufrágio (envolvendo Paulo, em Atos 27) que é quase exatamente o oposto da história de Jonas. Jonas foge do chamado para pregar à perigosa capital da Assíria; Paulo corre rumo ao seu chamado para pregar à perigosa capital de Roma. A presença de Jonas no barco põe em risco a vida dos marinheiros; a presença de Paulo no barco é a salvação dos marinheiros. Paulo clama a Deus pedindo portas abertas quando está em segurança; Jonas clama a Deus pedindo segurança quando atinge o fundo.

Com muita frequência, clamamos a Deus *apenas quando* atingimos o fundo.

Há uma antiga canção infantil intitulada "Há um buraco no fundo do mar", que trata do prazer de uma criança diante da escuridão e do escondimento. "Tem uma asa na pulga na mosca num galho num tronco num buraco no fundo do mar..."

Assim é a história de Jonas: tem um homem nas tripas de um peixe em uma tempestade em um buraco no fundo do mar. E ele descobre que existe Deus. Ainda que esperemos atingir o fundo para então orar, Deus está ali.

Jonas ora, Deus ouve; Deus abre uma porta, Jonas é libertado. Mas o que acontece em seguida é tão ridículo, tão "pastelão", que eu não o mencionaria se não estivesse na Bíblia, de modo que temos de falar disso.

Jonas é libertado no terceiro dia. O terceiro dia é uma estrutura bíblica comum para designar o resgate divino, pelo que o leitor esperaria que Jonas fosse viver um dramático evento de resgate. Uma visitação do anjo Gabriel, uma viagem para casa em uma carruagem de fogo, um meio de teletransporte instantâneo. Algo assim.

Não nessa história.

"E o Senhor deu ordens ao peixe, e ele vomitou Jonas em terra firme" (Jn 2.10). Estou enganado, ou será que esse não é um detalhe extra que nós realmente preferiríamos desconhecer? Isso parece a versão da história feita por um aluno do sétimo ano.

Se você se perguntar por que os tradutores da Bíblia não escolheram um termo mais dignificante, mais "igreja", do que o verbo "vomitar", a resposta é que a palavra hebraica correspondente é ainda mais vívida do que a nossa.

O autor quer se certificar de que o leitor capte isso. Jonas não foi trazido por um anjo. O peixe teve um derrame de proteína, "chamou o Hugo", perdeu seu almoço, lançou seu alimento para fora.

Jonas acaba na praia. Não uma figura trágica, envolta em sofrimento. Não uma figura heroica, envolta em glória. Uma figura ridícula, coberta de coquetel de camarão e patê de atum.

A maneira mais simples de classificar histórias em geral é a seguinte: cada uma constitui uma tragédia (a alegria perde, a vida perde, a esperança perde) ou uma comédia (a alegria vence, a vida vence, a esperança vence).

A de Jonas é uma comédia.

Jonas vai afundando, mas coisas inusitadas vão acontecendo. Ao receber de Deus a ordem de ir para o leste, Jonas, que deveria ser o herói desse enredo, foge para o oeste. Um profeta, que deveria saber o que está fazendo, pensa que pode fugir de Deus navegando para Társis. Um capitão gentio convoca o homem de Deus para orar. Marinheiros pagãos, que, no mundo antigo, não eram conhecidos por sua piedade, se convertem ao Deus de Israel. Jonas acha que vai se afogar, e Deus lhe manda um peixe: uma espécie de *van*, daquelas empresas que alugam veículos.

E, caso alguém ainda não tenha entendido, o autor introduz na história uma cena de vômito.

Acontece que, quando seres humanos estão se afundando, afundando cada vez mais, Deus está preparando alguma coisa grande; e, da perspectiva divina, a morte e a sepultura não são nenhum problema. A rebeldia e a teimosia dos seres humanos não são nenhum problema.

Deus se ri disso tudo. Deus se ri da morte e da sepultura. Jonas acaba vomitado em terra firme.

Um dia entenderemos que a alegria vence. Jonas é um livro de alegria. É cômico no sentido mais sublime, mais transcendente, mais maravilhoso dessa palavra, pois há outro personagem entre todas as linhas desse texto.

Jonas, ficamos sabendo, é de uma cidade chamada Gete-Héfer, situada a alguns quilômetros de Nazaré. Outro profeta viria de Nazaré, cairia no sono no barco enquanto os demais passageiros entrariam em pânico, e acalmaria a tempestade com apenas um gesto.

O nome Jonas significa "pomba", que, por sua vez, quer dizer "ofertado a um bem-amado". Outro profeta entraria na água, sairia dela, veria uma pomba descer do céu e ouviria uma voz chamando-o de bem-amado.

Já perto do fim de sua vida, Jesus afirmou ter um sinal para dar a este mundo sofrido, algo como um "sinal de Jonas". "Pois assim como Jonas esteve três dias e três noites no ventre de um grande peixe, assim o Filho do homem ficará três dias e três noites no coração da terra" (Mt 12.40).

A igreja primitiva costumava reunir-se em lugares chamados catacumbas, ou seja, túmulos, locais subterrâneos para sepultamento. A primeira arte inspirada por Jesus não apareceu em grandes catedrais ou em enormes afrescos: foi desenhada, gravada em túmulos, nas ocultas catacumbas. A figura do Antigo Testamento mais frequentemente referenciada não é Abraão ou Moisés ou Davi.

É Jonas.

Por quê? Porque a igreja primitiva entendeu o chiste.

A alegria vence.

E, nessa história, o ponto da virada acontece quando Jonas se dirige a Deus em oração. Ele se volta a Deus porque não tem ninguém mais a quem se voltar. Mas Deus não é orgulhoso. Ele acolhe até mesmo aqueles que vêm a ele como quem busca o último recurso. "Batam, e a porta lhes será aberta" (Mt 7.7).

Outro impedimento para transpor portas abertas: a falta de amor

Mas a história de Jonas não termina nesse tom. Ela fica suspensa em um tom estranho, discordante, não resolvido. Por uma razão.

Existe uma lendária anedota de que, certa feita, a mulher de Johann Sebastian Bach estava tocando cravo enquanto o marido estava na cama, e ela insistia em um sétimo acorde não resolvido, de modo que isso o aborrecia tanto que ele não conseguiu dormir. Não sabemos por que ela fez isso. Eles tinham vinte filhos (possivelmente, ela não dispunha de tempo para praticar). Talvez, sabendo que aquilo o incomodaria, ela quisesse lhe dar o troco por tê-la feito gerar vinte bebês. Ele finalmente se levantou da cama, sentou-se ao cravo, tocou o acorde da forma correta e, então, pôde dormir.

A palavra dissonante na história de Jonas é "maldade". Deus manda Jonas pregar contra Nínive "porque a sua maldade subiu até a minha presença" (Jn 1.2).

Algo está desafinado no mundo divino, e isso leva Deus a ter noites de insônia.

Jonas tem motivo para não querer ir a Nínive: ele não gosta dos ninivitas.

Deus coloca uma porta aberta diante de Jonas, mas Jonas não é o principal afetado por ela. É uma porta para que ele seja veículo do amor divino para outras pessoas. É sua falta de amor que lhe permite correr na direção oposta.

É o amor que empurra uma mãe e um pai a transporem a porta do sacrifício para assumir a responsabilidade por uma pequena vida.

É o amor que atrai um advogado poderosíssimo como Gary Haugen a renunciar ao dinheiro para apostar tudo na International Justice Mission [Missão Justiça Internacional].

É o amor que dá a pequena esmola da viúva, que não guarda registros de ofensas, que honra as promessas matrimoniais quando fazê-lo é tão difícil, que escuta um amigo que está sofrendo.

A verdadeira razão pela qual Jonas não quer entrar pela porta aberta de Deus é simplesmente esta: a falta de amor.

Assim, ele só vai para Nínive quando está claro que a alternativa é tornar-se um *sushi bar* vivo. Ele prega, mas sua mensagem talvez seja a mais ineficaz em toda a Bíblia: "Daqui a quarenta dias Nínive será destruída" (Jn 3.4).

Esse bem pode ser o pior sermão de todos os tempos. Nenhuma menção a Deus, ao arrependimento ou à misericórdia. Nenhuma ilustração, nenhuma aplicação, nenhuma edificação. Jonas não está fazendo nenhum esforço em sua tarefa. Está passando um recado por telefone.

Mas ocorre, então, a coisa mais estranha. As pessoas o escutam. Começam a reagir. E a reação é tão abrangente que todo mundo, do rei até os cidadãos mais pobres e fracos, e até os animais, todos se vestem de pano de saco.

O que mostra que nossa competência (ou a falta dela) nunca é um problema quando Deus abre uma porta. "Sei que você tem pouca força..."

Deus vê o arrependimento de Nínive e se enche de compaixão. "Tendo em vista o que eles fizeram e como abandonaram os seus maus caminhos" — sua maldade —, "Deus se compadeceu" (Jn 3.10).

Jonas observou tudo isso, e você pode achar que ele se sentiu entusiasmado.

"Mas tudo isso foi penoso para Jonas, uma grande maldade, e ele se enfureceu."[7]

Jonas não aceita isso. Agora é *ele* quem não consegue dormir. Observa Nínive se arrependendo e sendo perdoada por Deus, e diz: "Isso é maldade". Não apenas maldade, uma "*grande* maldade". Essa é a única vez na história em que essas duas palavras aparecem juntas, e há uma razão para isso. O que é grande para Deus — a graça da salvação de Nínive — é uma enorme maldade ao olhos de Jonas.

> [Jonas] orou ao Senhor: "Senhor, não foi isso que eu disse quando ainda estava em casa? Foi por isso que me apressei em fugir para Társis. Eu sabia que tu és Deus misericordioso e compassivo, muito paciente, cheio de amor e que prometes castigar mas depois te arrependes. Agora, Senhor, tira a minha vida, eu imploro, porque para mim é melhor morrer do que viver".
>
> Jonas 4.2-3

De fato, Jonas não disse nada parecido com isso quando estava em casa, no primeiro capítulo. Ele resolveu fugir de medo. Agora, convenientemente se lembra de si mesmo como um paladino da justiça. Alega que sempre soube que Deus se compadeceria.

Acontece que posso não ter sequer uma noção clara a respeito do motivo de eu dizer "não" às portas abertas por Deus. Posso falsear lembranças de maneiras que me fazem parecer mais corajoso do que realmente fui. Preciso da ajuda de Deus e das pessoas que me conhecem bem para examinar por que sofro do complexo de Jonas.

Uma das muitas maneiras que tornam Jonas único entre os profetas é esta: sua falta de empatia. Todos os profetas não apenas apelam ao povo em nome de Deus, mas também apelam a Deus em nome do povo. A angústia do povo lhes causa o mesmo sentimento. Eles se identificam com o próprio povo a quem têm de declarar o julgamento divino.

Isso não acontece com Jonas.

Julgar para ele é fácil. Ele quer fugir da porta aberta porque realmente não ama o povo para o qual aquela porta o levaria.

A falta de amor torna mais fácil que eu diga "não" à porta que se abre.

Mais um empecilho ao reconhecimento de portas abertas: uma visão errônea sobre Deus

Nessa oração de Jonas, alguma outra coisa acontece, algo que seria evidente a seus leitores: "Eu sabia que tu és Deus misericordioso e compassivo".

Jonas está citando aqui a mais famosa confissão da identidade de Deus na história de Israel, quando o Senhor se revelou a Moisés no monte Sinai.

O que Deus de fato disse foi que ele é o "SENHOR, Deus compassivo e misericordioso, paciente, cheio de amor e de fidelidade" (Êx 34.6). A omissão de Jonas seria gritantemente óbvia para qualquer israelita que lesse a história. Seria como se nós estivéssemos presentes em uma cerimônia de casamento, e o noivo dissesse: "Eu te aceito como minha legítima esposa, na alegria e na tristeza, na saúde e na doença, na maior fortuna".

Jonas omite a *fidelidade*. Jonas está contestando a natureza de Deus. Ele acredita que Deus não é confiável. Eu nunca confiarei em Deus para transpor portas abertas se pensar que ele não é fiel.

Tudo o que Deus diz é: "Você tem alguma razão para essa fúria?" (Jn 4.4).

Jonas não responde. Ele dispensa a Deus um tratamento silencioso.

Jonas foge de novo, para o leste, e alimenta a esperança de ver a cidade destruída.

Então o Senhor Deus fez crescer uma planta sobre Jonas, para dar sombra à sua cabeça e livrá-lo do calor, o que deu grande alegria a Jonas. Mas na madrugada do dia seguinte, Deus mandou uma lagarta atacar a planta e ela secou-se. Ao nascer do sol, Deus trouxe um vento oriental muito quente, e o sol bateu na cabeça de Jonas, ao ponto de ele quase desmaiar. Com isso ele desejou morrer, e disse: "Para mim seria melhor morrer do que viver". Mas Deus disse a Jonas: "Você tem alguma razão para estar tão furioso por causa da planta?" Respondeu ele: "Sim, tenho! E estou furioso ao ponto de querer morrer".

Jonas 4.6-9

Isso se refere a algo mais profundo do que sofrer uma insolação. Os profetas, em sua época, eram atores. Considerando que, comumente, as pessoas ignoram as palavras, Deus mandava os profetas encenar sua mensagem de maneiras chocantes. O profeta sempre era o ator, e Israel, a plateia.

Exceto aqui.

Nessa pequena peça, Deus é o ator. Deus envia uma planta, Deus envia uma lagarta, e Deus envia o vento. Jonas é a plateia. O que está acontecendo aqui é que Deus quer salvar Jonas.

Sim, pois Jonas foi para o leste. O "leste" era a direção dos inimigos de Israel (o leste do Éden depois da Queda, o leste para onde foi o assassino Caim).

Deus envia uma sombra. Para um leitor israelita, isso está repleto de significado.

Em Salmos 17.8-9, lemos: "Protege-me como à menina dos teus olhos; esconde-me à sombra das tuas asas, dos ímpios que me atacam com violência, dos inimigos mortais que me cercam".

Estar na sombra significa estar sob a proteção de Deus. Literalmente, o texto diz que a sombra servia de livramento do mal.

As Escrituras revelam que, quando a planta cresceu sobre Jonas, isso lhe deu grande alegria. Para Jonas, não se trata simplesmente de proteção física: significa a ruína de Nínive. Deus vai proteger seu povo. Deus vai destruir seus inimigos. É por isso que a planta "deu grande alegria a Jonas". Jonas exulta com a destruição do povo a quem odeia. Nínive está ruindo.

Deus não enxerga categorias, diferentemente de mim: "Pessoas desta categoria, essas são do meu tipo. Gosto desse tipo de pessoas. Mas posso me afastar de gente daquela estirpe sem sofrer quase nada". As pessoas são importantes para Deus. Pessoas deprimidas. Pessoas estudadas. Pessoas divorciadas. Pessoas com ideias políticas diferentes das suas. Elas são importantes para Deus. Pessoas conservadoras e pessoas liberais. Muçulmanos. Ateus. Pessoas que seguem correntes místicas. Pessoas de todas as cores de pele. Pessoas asiáticas. Pessoas hispânicas. Pessoas caucasianas. Pessoas afro-americanas. Pessoas *gays*. Pessoas idosas. As pessoas são importantes para Deus. Todas elas.

Deus diz a Jonas: "Você tem pena dessa planta, embora não a tenha podado nem a tenha feito crescer. [...] Contudo, Nínive tem mais de cento e vinte mil pessoas que não sabem nem distinguir a mão direita da esquerda, além de muitos rebanhos. Não deveria eu ter pena dessa grande cidade?" (Jn 4.10-11).

A história simplesmente termina com Jonas lá sentado. Isso não deixa você meio indignado? Esse não é um jeito realmente tosco de terminar uma história? Por que um autor faria isso?

Na verdade, outro contador de histórias vai fazer a mesma coisa. Jesus termina a história do filho pródigo exatamente como se faz no livro de Jonas: com um rebelde salvo pela graça e um pai amoroso fazendo um apelo para um inconformado presunçoso.

Isso não significa que o contador da história não saiba imaginar uma conclusão.

Significa que a história não diz respeito a Jonas. Diz respeito a nós e à nossa resposta a Deus.

Um grande artista sabe que, quando se deixa uma história mal resolvida, as pessoas não podem simplesmente ir embora e descartá-la. Elas têm de continuar elaborando o enredo. Como o acorde de Bach, ela os mantém acordados.

Essa é a ideia.

Há uma porta lá fora, e seu nome está escrito nela. Ela está aberta. Neste exato momento.

O que você vai fazer?

9

Agradeça a Deus pelas portas fechadas

"Cada vez que Deus fecha uma porta, em algum lugar alguém se irrita."

"Cada vez que Deus fecha uma porta, alguém julga que aquilo não está certo e quer trocar de lugar com ele."

"Cada vez que Deus fecha uma porta, ele está preparando alguma coisa."

Os executivos do beisebol dizem que alguns dos maiores negócios são aqueles que nunca se realizam. De modo semelhante, algumas das maiores orações são aquelas que jamais são atendidas como queremos. Algumas das maiores portas são aquelas que nunca se abrem.

A Bíblia está cheia de portas fechadas, assim como está repleta de portas abertas: a porta do Éden foi fechada depois da Queda. A porta da arca foi fechada por decreto. A porta da terra prometida foi fechada para Moisés. A porta da construção do templo foi fechada para Davi.

A carta à igreja de Filadélfia, no Apocalipse, diz que aquele que é santo tem poder não apenas para abrir portas que ninguém pode fechar, mas também para fechar portas que ninguém pode abrir.

Mas eu geralmente não gosto de portas fechadas; tampouco as entendo.

Se alguém perguntasse qual é o único maior fator de motivação para a oração, suponho que a resposta de três palavras seria: "A oração atendida".

Quando oramos e Deus nos ouve; quando há uma necessidade e Deus nos dá uma orientação realmente clara; quando alguém se mostra enfermo no corpo ou no espírito durante anos e as pessoas oram e a cura acontece; quando nos sentimos ansiosos e recebemos a visita da paz; quando precisamos de uma ideia e esta nos é dada; quando, em resposta à oração, um casamento é recuperado, uma criança que fugiu volta para casa, alguém acha um emprego ou um lugar para morar. Quando isso acontece, somos levados a querer orar ainda mais.

Se alguém perguntasse qual é o único maior fator de desmotivação para a oração, suponho que a resposta poderia ser dada em quatro palavras: "A oração não atendida".

Alguém adoraria se casar e ora durante anos para encontrar a pessoa certa, mas nunca a encontra. Alguém luta desesperadamente contra a depressão e pede a Deus uma trégua, mas a depressão não cessa. Alguém sofre um grave desapontamento ou injustiça no exercício de sua profissão e pede a Deus que a justiça prevaleça, mas não é bem assim que acontece.

De acordo com Ogden Nash, porta é aquela coisa da qual o cachorro está sempre fechado do lado errado. Nenhuma criatura deste mundo quer ficar fechada do lado errado de uma porta. Portas fechadas nos desanimam. Elas podem ocorrer em um emprego, em um relacionamento, em nossa vida financeira, em nossa formação ou até mesmo no ministério. Uma oportunidade que queríamos se fecha, e sentimos que nossa vida é diminuída e o céu não se importa.

No entanto...

Com certeza deve ser uma coisa boa o fato de que somente Deus tem o poder de fechar de tal modo que seja impossível abrir. Com muita frequência, uma porta fechada que me frustrou na época em que surgiu depois se revelou uma ocasião de gratidão. Eu de fato me surpreendo dizendo: "Obrigado, meu Deus, pelas portas fechadas".

- Pela garota que me rejeitou, caso contrário eu não teria me casado com minha esposa.
- Pelo curso de pós-graduação em que não fui aprovado, caso contrário eu não teria me dedicado ao trabalho que gosto de realizar.
- Pelas frustradas aventuras como escritor que receberam um "Não, obrigado", caso contrário eu não teria aprendido a necessidade da perseverança e do progresso.
- Por aquele trabalho que era tão penoso e difícil, porque ele me conduziu a uma nova determinação.
- Pela promessa de sucesso imediato que não se concretizou, porque aquilo me fez aceitar a realidade mais humildemente.
- Pela oração que não foi atendida durante anos, porque assim aprendi mais sobre aquela jornada do que teria aprendido mediante uma gratificação imediata.
- Por aquilo que parecia uma grande oportunidade financeira e que eu perdi, porque tal fato me impediu de

me envolver com uma organização que acabou se revelando sórdida.

Agradeço a Deus pelas portas fechadas. Mas não por *todas* as portas fechadas. Ainda há muitas das quais não gosto, e, se pudesse, eu as arrombaria. E há portas ambíguas. O próprio Jesus, ao mencionar a necessidade da persistência na oração, disse: "Batam, e a porta lhes será aberta" (Mt 7.7). Mas ele não disse *qual* porta. E não disse com que intensidade deveríamos bater ou por quanto tempo deveríamos insistir. Como vou saber a que portas fechadas devo insistir em bater? Como vou saber se devo continuar insistindo neste emprego, no relacionamento com esta garota, nesta escola, com este sonho? Como vou saber se devo desistir e tocar a vida adiante?

A boa notícia é que, para essas perguntas, há uma resposta simples de apenas duas palavras. A má notícia é que as duas palavras são "Não sei".

Há coisas sobre as quais não podemos ter certeza nesta vida. Deus tem em mente para nós coisas maiores do que "ter certeza". Mas saber por que algumas portas *não deveriam* ser abertas pode nos ajudar a crescer em nossa capacidade de perceber a diferença. Neste capítulo, vamos examinar o que Deus poderia estar preparando mediante as portas fechadas que surgem em nossa caminhada.

Batendo na porta errada

Às vezes, as portas permanecem fechadas por querermos a coisa errada.

Um dia, Pedro, Tiago e João estão em um alto monte com Jesus, a quem veem tornando-se radiante e transfigurado.

Jesus está passeando com Moisés e Elias, e Pedro diz: "Mestre, é bom estarmos aqui. Façamos três tendas: uma para ti, uma para Moisés e uma para Elias", como se os três tivessem o mesmo nível de importância (Mc 9.5). Pedro "não sabia o que dizer" (v. 6), pois estava apavorado. Aparentemente, a opção do silêncio nunca lhe ocorreu. Em vez disso, ele faz esse pedido, que não é uma boa ideia, e Jesus diz: "Não. Temos mais trabalho a realizar. Esse seu pedido é errado".

Em outra ocasião, Tiago e João decidem melhorar seus cargos no céu, e por isso a mãe deles se ajoelha diante de Jesus e pede a reserva dos assentos 1A e 1B na primeira classe. Jesus lhes diz que o reino não funciona realmente assim, isto é, envolvendo a mãezinha para conseguir uma promoção pessoal. A reação dele significa "não".

Ainda em outra ocasião, eles entram em uma aldeia samaritana que não lhes dá as boas-vindas, o que não surpreende, dadas as tensões étnicas entre Samaria e Israel. Tiago e João querem orar pedindo que desça fogo do céu para exterminar a aldeia.

Jesus diz: "Aprecio o gesto de vocês, mas...".

Em toda a Bíblia, vemos portas fechadas em resposta a pedidos errados. De fato, em quatro ocasiões diferentes, quatro pessoas diferentes (Moisés, Jeremias, Elias e Jonas) pedem a Deus que lhes tire a vida. Em cada caso, Deus diz: "Não, não, não, não". Você não acha que, quando o ânimo desses homens melhorou, eles não ficaram contentes por Deus lhes ter dito "não"?

Graças a Deus por ele às vezes dizer "não".

Há uma canção *country* de Garth Brooks a respeito disso, uma música que algum tempo atrás chegou a ocupar o primeiro lugar nas paradas de sucesso, intitulada "Unanswered Prayers" [Orações não atendidas]. Em um jogo de futebol de sua antiga escola, ele viu uma garota e ficou doido por ela enquanto foi aluno naquela instituição. Ele costumava orar pedindo a Deus que fizesse aquela garota ser sua mulher. O intento não se realizou, e agora, passados todos esses anos, ele a enxerga de novo e se pergunta: "Onde eu estava com a cabeça?".

Com seus botões, ele sussurra: "Graças a Deus! Graças a Deus!".

O verso principal dessa canção é: "Algumas das maiores dádivas de Deus são orações não atendidas".

Eu estava participando de um reencontro da minha turma, algum tempo atrás, e vi uma garota pela qual em outros tempos eu tinha ficado maluco. Agora, muitos anos depois, a mesma oração foi sussurrada: "Graças a Deus!".

Sei que a oração foi sussurrada porque eu a ouvi sussurrando isso.

Um pensamento ligeiramente relevante: você pode ser objeto dessa oração não atendida feita por alguém!

As portas se fecham porque há algo melhor

Às vezes, uma porta permanece fechada porque o futuro nos reserva algo melhor que ainda não podemos enxergar.

Um jovem criado em um ambiente de pobreza sonhava para si e sua família uma vida melhor daquilo que fora sua dura existência na infância. Poupou tudo o que pôde e se afundou em dívidas para abrir uma mercearia. Seu sócio tinha um problema com bebida, e esse jovem acabou descendo tão fundo no buraco que, ao se referir a suas obrigações financeiras, chamava-as de "dívida nacional". Desistiu da ideia de um dia ser um comerciante bem-sucedido, e levou mais de uma década para pagar a dívida derivada de seu sonho fracassado.

Ele passou a atuar no campo jurídico e na política e, em 1860, foi eleito presidente — o presidente Abraham Lincoln. Ele era ávido admirador de Shakespeare, e sua citação preferida foi tirada de *Hamlet*: "Há uma divindade dando a forma final aos nossos mais toscos projetos".[1] Lincoln passou a acreditar profundamente nisso em relação à sua vida, mas também em relação à nação que presidiu. Todo o seu segundo discurso de posse é uma reflexão extraordinariamente profunda sobre como Deus estava atuando na Guerra Civil de maneiras tão misteriosas e intensas que homem nenhum poderia sondar. Que perda teria sido, não só para ele mas para toda a nação, se as portas daquela pequena mercearia que ele abriu em Nova Salém não se tivessem fechado.

Por ser Deus quem é e pela natureza da oração, é fundamental que Deus sempre se reserve o direito de dizer "não", porque ele, melhor do que nós, sabe o que levará aos melhores resultados. Para cada tipo de poder acessível aos seres humanos, nós descobrimos uma forma de utilizá-lo com grande eficácia destrutiva. Isso vale para o poder verbal, o poder financeiro, o poder político e o poder nuclear.

Imagine que nós, por meio da oração, tivéssemos acesso a um poder sobrenatural que sempre fizesse as coisas acontecerem como quiséssemos. Seria um desastre. A pessoa que pensa que portas fechadas refutam a eficácia da oração simplesmente não meditou com muita profundidade sobre a oração.

A oração não é um encantamento. É uma conversa com uma Pessoa — uma Pessoa muito sábia. Por isso, às vezes Deus diz "não". Agradeça a ele por agir assim.

Talvez a oração mais frequente do mundo seja esta: "Senhor, muda essa mulher. Muda esse homem. Faze que ele seja como eu quero que seja. Faze que ele faça o que eu quero que faça".

É possível que venhamos pedindo isso há muito tempo em nossas orações.

É bom pedir a Deus para moldar as pessoas que nos cercam, mas, por vezes, quando faço essas orações, minha prece *verdadeira* é esta: "Senhor Deus, eu não quero enfrentar a realidade de minha imaturidade pessoal; por isso, por favor transforma essa pessoa em alguém capaz de se adaptar à minha disfunção e alimentar meu ego". E, então, Deus tem em mente algo melhor. Com frequência, esse algo melhor é usar aquela pessoa difícil para *me* transformar.

Frederick Buechner mudou-se para Nova York a fim de tornar-se escritor e acabou descobrindo que não conseguia escrever nem sequer uma palavra. Tentou trabalhar na firma de propaganda de seu tio, mas não era tenaz o suficiente. Tentou ingressar na CIA, mas não tinha estômago para aquilo. Apaixonou-se por uma garota que não se apaixonou por ele. Buechner afirmou: "Tudo soa como uma farsa sem sentido quando ponho isso aqui por escrito, com todas as portas que tentei fechadas na minha cara; no entanto, imagino que tudo foi também uma espécie de progresso do peregrino".[2]

Foram portas que se fecharam porque ele se decepcionou nas opções desejadas. Foi um progresso porque aquilo o levou a descobrir Deus, ou a ser descoberto por Deus. E, em sua fé, ele escreveu palavras que inspiraram milhões de outras pessoas. Mas essa porta nunca poderia ter sido aberta se muitas outras portas não tivessem sido fechadas primeiro.

As portas se fecham porque precisamos crescer

Um dia, enquanto eu orava pedindo uma oportunidade de ocupar um cargo de chefia, minha cabeça continuamente se distraía fixando-se em um homem de quem eu estava com raiva. Lembrei-me de uma oração realmente estranha registrada em 2Reis. Quando alguns meninos começaram a zombar de Eliseu, ele os amaldiçoou em nome do Senhor, e então duas ursas saíram do bosque e despedaçaram 42 meninos. Pensei comigo: "Eu poderia orar assim em relação a esse sujeito".

Percebi que minha raiva era o elefante no armário da oração, e, enquanto eu me atinha àquilo, não estava livre para orar de mãos abertas diante de Deus. Não pretendo dizer que eu poderia fazer o relacionamento tornar-se o que desejava, mas há uma grande diferença entre alimentar um ressentimento e renunciá-lo. Eu queria novas oportunidades para ocupar um cargo de chefia, mas precisava aprender a crescer mediante a frustração daquele relacionamento difícil no qual eu me encontrava.

No Novo Testamento, um homem chamado Simão, o Mago, impressionou-se tanto com o poder espiritual do apóstolo Pedro que lhe ofereceu dinheiro para também receber aquele poder. Mas ele realmente não o queria para ajudar outras pessoas; queria aquilo para impressioná-las.

Seu pedido foi negado. Por quê?

> Talvez sua cabeça não funcionasse direito.
> Vai ver que a sandália tinha algum defeito.
> Mas a mais óbvia das razões naturais
> É que seu coração era pequeno demais.[3]

Paulo dirigiu-se a Deus e lhe pediu que removesse o que ele chamou de espinho na carne. Pediu repetidas vezes.

Tudo o que conseguiu em resposta foi uma porta fechada.

Mas essa porta fechada lhe proporcionou uma dádiva maior que a remoção do espinho. Paulo passou a entender que a graça viria não com a remoção do espinho, mas junto com ele. O espinho, que era doído, também produziria algo maravilhoso em seu espírito. O espinho, que de algum modo dizia respeito à fraqueza de Paulo, de fato o faria crescer em sua capacidade de ser canal condutor da força divina. A porta para a remoção estava fechada para que a porta do fortalecimento da graça pudesse ser aberta.

Quais são as áreas nas quais possivelmente precisamos crescer?

- Talvez precisemos crescer mais em generosidade e liberdade em relação à nossa necessidade de dinheiro; nesse caso, portas financeiras podem se fechar.
- Talvez precisemos crescer em humildade; nesse caso, grandiosas portas da realização de desejos serão fechadas.
- Talvez precisemos crescer em nossa capacidade de postergar uma satisfação; nesse caso, a porta do "Agora Mesmo" pode ser fechada.
- Talvez precisemos crescer em nossa capacidade de amar nossos inimigos, ou até mesmo nossos irritantes amigos; nesse caso, a porta do "Senhor, muda esse cara!" pode ser fechada.

Muitas vezes, pode acontecer de, quando a porta "Vá" parecer fechada, haver uma porta "Cresça" escancarada. Basta que entreguemos a Deus o controle soberano das portas.

Portas se fecham porque Deus tem planos que desconhecemos

Os israelitas eram o povo de Deus, e eles acalentavam o sonho de ser uma grande nação, mas tudo o que provaram foram portas fechadas. Foram derrotados e mandados para o exílio. A oração deles pedia que fossem poupados desse sofrimento. E se Deus tivesse dito "sim"? E se Israel tivesse se tornado uma grande potência mundial, com muito dinheiro e pesado armamento; se nunca tivessem de partir para o exílio; se tivessem guardado para si sua fé e nunca tivessem dado ouvidos a profetas que sonhavam com outro reino, um reino melhor, um reino espiritual capaz de acolher toda a humanidade? Quando portas militares, políticas, econômicas e geográficas se fecharam, uma pequena, invisível porta para um outro tipo de povo, com outro tipo de missão, a serviço de outro tipo de grandeza se abriu e mudou o mundo de forma infinitamente mais relevante do que uma superpotência poderia mudar.

Dietrich Bonhoeffer queria uma vida tranquila voltada à pesquisa e à docência. Essa porta estava fechada. Ele labutaria em um seminário clandestino e em um campo de concentração e acabaria sacrificando a própria vida. Ele não poderia saber que, fazendo isso, deixaria um legado que tocaria o coração do mundo inteiro durante gerações.

Anos atrás, Nancy e eu nos mudamos para Chicago. De muitas maneiras isso pareceu uma porta fechada para Nancy porque, em primeiro lugar, ela nasceu na Califórnia, e Chicago decididamente não é a Califórnia. Mas havia uma razão mais profunda: a alternativa em que havíamos pensado era uma igreja na Califórnia que oferecia cargos para nós dois, e em Chicago não havia nenhum lugar à mesa reservado para ela.

Quando tomamos nossa decisão, ela não tinha como saber que apenas um ano mais tarde faria parte do corpo de assistentes da igreja Willow Creek e que depois se tornaria uma pastora docente e acabaria chefiando um ministério que seria a grande aventura de sua vida, uma oportunidade para formar jovens líderes que se tornariam amigos de longa data e parceiros permanentes no ministério. Ela não sabia que estava prestes a construir uma rede de amizades e oportunidades não só em Chicago, mas no mundo inteiro.

Muitas portas que nos parecem grandes são pequenas para Deus, e muitas portas que nos parecem pequenas são grandes para ele. Isso faz parte da grande inversão do reino: os primeiros serão os últimos, os maiores serão os servos, os mais humildes serão exaltados.

Nicholas Herman se decepcionou com seu sonho de se tornar um grande soldado. Em vez disso, ele assumiu uma tarefa insignificante trabalhando na cozinha de uma organização não militar. Mas ele fez dessa experiência uma oportunidade para ver em que medida poderia depender de Deus em seu trabalho. Depois de sua morte, um livro foi compilado com o título *A prática da presença de Deus*, que relata sua vida sob seu nome monástico, Irmão Lawrence. Essa obra se tornou um dos livros mais lidos da história. Durante a vida de Herman, todos sabiam quem era o papa, mas praticamente ninguém sabia quem era o Irmão Lawrence. Hoje quase ninguém se lembra de quem era o papa naquela época, mas o mundo celebra a memória desse irmão.

Até mesmo na cruel maldade humana, Deus pode atuar para um bem inesperado. Em seu aniversário de 13 anos, uma menina solitária recebe um livro de autógrafos, com uma estampa em xadrez vermelho e branco, que ela utiliza para escrever seu diário. Frustrada pela ausência de colegas, ela decide que seu diário será seu amigo mais sincero, ao qual confiará seus pensamentos e sentimentos mais profundos, coisas que ninguém mais imaginaria que estivessem em sua mente e no seu coração. Ela passa a vida atrás de portas fechadas e morre dois breves anos mais tarde. O diário de Anne Frank se tornou uma das mais preciosas dádivas literárias do século 20. Depois da guerra, ele foi descoberto e dado ao pai da moça, o único sobrevivente da família. Por meio da humanidade e da esperança que permeavam as palavras daquele diário, Anne inspirou trinta milhões de leitores em 67 línguas, mais que conseguiram todos os autores do século 20, feitas algumas exceções. O que parecia ser uma pequena vida apagada pela maldade tornou-se uma luz inextinguível.

Jennifer Dean escreve:

> Pense em alguma coisa grande. Uma montanha? Uma árvore? Crie uma imagem mental de alguma coisa que você chama de grande. Agora, considere que ela é constituída por pequenos, minúsculos átomos. Átomos são constituídos por nêutrons e prótons ainda menores. Nêutrons e prótons são constituídos por elementos tão minúsculos que não podem ser vistos nem através dos mais poderosos microscópios.
>
> Nada é grande. Tudo o que chamamos de "grande" é apenas um todo de muitos elementos "pequenos".
>
> Pequeno sobre pequeno sobre pequeno, no fim é igual a grande. Não existe o "grande" sem muitíssimos "pequenos".
>
> A natureza, como Deus a criou, é a imagem do invisível reino dos Céus. [...] Na vida do reino, o pequeno é importante. O pequeno é a chave do grande.[4]

No reino de Deus, o pequeno é o novo grande. No reino de Deus, o lado de cima fica embaixo, e a maneira de viver é morrer. Madre Teresa de Calcutá costumava aconselhar as pessoas a não tentarem fazer grandes coisas para Deus, mas a realizarem pequenas coisas com grande amor.

Você e eu não sabemos que portas Deus vai abrir para que nossa breve vida exerça um impacto além de nós mesmos. Não sabemos até o momento de nossa morte, ou mesmo depois dela, quem pode ser afetado por nossas ações. Somos então convidados a nunca entrar em desespero, por mais irrelevante que nossa existência pareça ou por mais portas pelas quais desejávamos desesperadamente entrar pareçam ter se fechado. Somos convidados a viver como se Deus estivesse abrindo portas que significam que nossos menores gestos de bondade, de algum modo, mediante a graça divina, contarão para toda a eternidade.

Deus sabe o que são portas fechadas

O próprio Deus conhece a angústia de encontrar portas fechadas mais que qualquer ser humano jamais virá a conhecer. Deus concedeu a cada ser humano a chave da porta de seu coração, e o próprio Deus não vai forçar entrada ali. "Eis que estou à porta e bato." Não somos apenas nós que esperamos que Deus nos abra uma porta; Deus espera que abramos uma porta para ele.

Assim, associamo-nos a ele em nossa dor diante de uma porta fechada.

Recebi uma carta do pai de uma menina de 8 anos diagnosticada com uma doença debilitante que ameaça sua vida. "Todos os dias", escreveu ele, "oro pela cura dela. Todos os dias oro pedindo a Deus para que eu entenda isso tudo. Todos os dias peço: 'Meu Deus, o Senhor não poderia fazer que eu adoecesse em vez de minha filhinha? Deixe que eu sofra'. Estou com muita raiva de Deus. Estou tentando aguentar, mas sinto muita raiva. Por que o céu não responde à única pergunta que eu mais quero ver respondida?"

Você também já passou por isso, ou por alguma situação parecida. Se não, ainda passará, mais cedo ou mais tarde. Não posso lhe indicar uma explicação que contenha todas as respostas, porque ninguém tem todas as respostas. Só posso lhe recomendar uma Pessoa. Só posso lhe dizer que no centro do evangelho há uma oração não atendida. Jesus, de joelhos no jardim, orou: "Meu pai, se for possível, afasta de mim este cálice [este sofrimento, esta morte]; contudo, não seja como eu quero, mas sim como tu queres" (Mt 26.39).

Essa é a mais desesperada das orações já feitas, e originou-se do espírito mais esclarecido que já existiu, pelo coração mais puro que já houve, pedindo a libertação do sofrimento mais injusto de que se tem notícia. E tudo o que ele conseguiu foi silêncio. O céu não se comoveu. O cálice não foi afastado. O pedido foi negado. A porta continuou fechada.

Desse indesejado, imerecido sofrimento veio a esperança do mundo, aquilo que reformulou a história. Isso porque a suprema resposta para todas as angústias humanas, inclusive a angústia da oração não atendida, é uma cruz manchada, encharcada de sangue, na qual o próprio Filho de Deus padeceu. Ninguém tem todas as respostas, mas recentemente fiquei pensando nisto: "E se todas essas orações insistentes tivessem recebido um 'sim' como resposta?".

E se Paulo tivesse sido curado do espinho em sua carne, e tivesse se tornado ainda mais impressionante, e viajado ainda mais, e aprendido a se vangloriar por seu grande poder e seu grande dom, e tivesse transformado o movimento da igreja primitiva em um monumento da grandeza humana?

E se Israel tivesse se tornado "o povo da potência militar" ou "o povo da abundância" em vez de "o povo do livro"?

No Getsêmani, Jesus pediu para não ser crucificado. E se Deus tivesse dito "sim"? E se Jesus tivesse sido poupado daquele cálice? E se não tivesse havido nenhuma cruz, nenhuma morte, nenhuma ressurreição, nenhum perdão de pecados, nenhum derramamento do Espírito Santo, nenhum surgimento da igreja?

Não sei por que algumas orações recebem "sim" e outras recebem "não". Conheço a angústia de um "não" quando se deseja um "sim" mais do que qualquer outra coisa no mundo. Mas não conheço o *porquê*. Sei apenas que o "não" de Deus na cruz, dirigido a seu único Filho, foi transformado em "sim" para todos os seres humanos.

A promessa que está além de todas as portas

Na noite anterior à sua morte, Jesus tentou explicar aos discípulos que as coisas ficariam difíceis por certo tempo, como se o céu tivesse fechado suas portas; mas eles não deveriam desistir, pois aquilo não seria o fim.[5] É uma cena comovente, mas, em certo ponto, João descreve um retrato absolutamente cômico da insensatez dos discípulos:

[Jesus disse:] *"Mais um pouco e já não me verão; um pouco mais, e me verão de novo".*

Alguns dos seus discípulos disseram uns aos outros: "O que ele quer dizer com isso: '*Mais um pouco* e não me verão'; e '*um pouco mais* e me verão de novo' [...]?" E perguntavam: "Que quer dizer '*um pouco mais*'? Não entendemos o que ele está dizendo".

Jesus percebeu que desejavam interrogá-lo a respeito disso, pelo que lhes disse: "Vocês estão perguntando uns aos outros o que eu quis dizer quando falei: *Mais um pouco* e não me verão; *um pouco mais* e me verão de novo?"

João 16.16-19

Eles responderam: "É isso mesmo. É isso que estávamos perguntando".

Essa é uma aula para discípulos em recuperação. Não se trata de alunos em um curso avançado. Impacientes, eles querem todas as portas abertas e todas as perguntas respondidas de imediato. Para eles, "agora não" é o mesmo que "nunca". Mas para Deus (e um dia também para nós, à luz da eternidade) é apenas "um pouco mais". João sublinha isso para que entendamos o que vem em seguida.

Jesus faz uma promessa maravilhosa a seus discípulos: "Agora é hora de tristeza para vocês, mas eu os verei outra vez, e vocês se alegrarão, e ninguém lhes tirará essa alegria. Naquele dia vocês não me perguntarão mais nada" (Jo 16.22-23).

Cristo afirma: "No fim, a alegria vencerá; e naquele dia vocês não me farão mais perguntas".

O que significa "não me perguntarão mais nada"? Por que Jesus promete isso?

Os discípulos o estavam sempre importunando com perguntas. Você já reparou nisso? Repasse os Evangelhos. O tempo todo é apenas: "Ei, Jesus! Posso me sentar à tua direita?",

"Ei, Jesus! Quantas vezes devo perdoar esse sujeito?", "Ei, Jesus! Por que esse homem nasceu cego?", "Ei, Jesus! Por que não conseguimos expulsar esse demônio?", "Ei, Jesus! Que significa essa parábola?", "Ei, Jesus! Devemos pedir o fogo do céu para exterminar os samaritanos?", "Ei, Jesus! Qual de nós é o maior?", "Ei, Jesus! O que quer dizer 'mais um pouco'?". O tempo todo é "Ei, Jesus!".

Quando nossa filha Laura aprendeu a falar, percebi que eu estava totalmente despreparado para a constante avalanche de perguntas que saíam daquela boquinha. "Por quê? Por quê? Por quê?" Eram perguntas sem fim. Depois de um tempo, eu me cansei, e minha mulher, que na época passava o dia em casa com aquela criança, sofria mais ainda com aquilo. A coisa não parava nunca. Aquelas perguntas me cansavam demais.

Certa vez, estávamos no carro, minha mulher, eu e Laura. Nossa filha estava mais ou menos com 2 anos, e eu tive uma ideia. Decidi inverter o jogo. Voltei-me então para Laura e comecei a lhe fazer perguntas. "Ei, Laura. Por que a grama é verde?", "Ei, Laura. Por que o céu é azul?", "Ei, Laura. O que faz o sol brilhar?", "Ei, Laura. O que faz o carro andar?", "Ei, Laura. De onde vêm os bebês?". Ela fez aquela expressão de confusão e preocupação, e Nancy ficou muito nervosa: "Continue, John. Faça a menina chorar. Faça a menina chorar".

Eu estava me lembrando disso, pensando na passagem bíblica citada e me perguntando se Jesus alguma vez não se cansou com todas aquelas perguntas? "Ei, Jesus. Ei, Jesus. Ei, Jesus." Pois, de fato, por trás de todas elas está a questão realmente grande: *Por quê?* Todo mundo faz essa pergunta.

Por quê? Por que esse menininho de 6 anos tem um tumor cerebral? Por que uma bomba explodiu em Boston? Por quê?

Ei, Jesus, por que aconteceu esse desastre no Texas, e pessoas inocentes perderam a vida? Ei, Jesus, por que meu filho fugiu de casa? Ei, Jesus, por que meu casamento foi por água abaixo? Ei, Jesus, por que sinto esta incapacitante depressão e não consigo me livrar dela, por mais que tente?

Jesus responde: "Meus amigos, deixem-me dizer. Mais um pouco e já não me verão, e as coisas não vão parecer certas. Vocês verão coisas terríveis neste mundo. Câncer. Fome. Guerra. Ódio. Injustiças terríveis. Corpos mutilados por motivos banais. Traição. Abusos. Estupros. Depois, um pouco mais... Para vocês parecerá um tempo longo, mas, na escala da eternidade, é só um pouco mais. Mais um pouco, mais um pouco, mais um pouco. Eu vou voltar. Vocês me verão de novo. Eu vou acertar tudo, e o mundo renascerá, as dores desse parto serão esquecidas e a alegria vencerá".

A alegria vencerá.

Do lado de cá dessa porta fechada, estamos nós, cheios de perguntas. Por que ela não se abre? Por que não posso ter o que quero? Por que devo sofrer? De algum modo, algum dia, de um jeito que nenhum de nós consegue entender, seremos tão agradecidos pelas portas fechadas como somos agora pelas portas abertas.

De fato, naquele dia... *Naquele dia*. Não hoje. Não amanhã, talvez. Mas "naquele dia", diz Jesus, "vocês não me perguntarão mais nada". Que bom dia será aquele.

Rudolph Bultmann esclareceu isso do seguinte modo: "É da natureza da alegria calar todas as perguntas, e nada mais precisa de explicação".[6]

Então veremos a bondade de Deus. Então este mundo renascerá. Então o pecado, a culpa, a dor, o sofrimento e a morte serão derrotados. Então não haverá mais perguntas. Se você se sentir tentado e perder a paciência, e se você se perguntar quando isso um dia acontecerá, eu vou lhe dizer.

Daqui a mais um pouco.

Apenas daqui a mais um pouco.

10

A PORTA NO MURO

Duas histórias escritas no século 20 apresentaram o mesmo título: *A porta no muro*.

Uma delas recebeu a Medalha Newbery de literatura infantil. Nela, o filho de 10 anos de um cavaleiro medieval adoece e fica manco. Separado de seus pais por um cruel exército inimigo, ele acaba sob os cuidados de um frade chamado Irmão Lucas. O garoto se sente envergonhado e decepcionado por causa de suas pernas. Alguns o chamam "Robin Canela Torta". Ele sente que sua vida será sempre insignificante por sua incapacidade de servir e por não ter a oportunidade de mostrar bravura e praticar feitos heroicos. Mas o frade o leva para o mosteiro, ensina-o a ler, nadar e esculpir, bem como a orar pedindo a fé para acreditar que uma vida digna e bela ainda o aguarda.

"Lembre-se continuamente", diz o frade, "de que você precisa apenas seguir sempre margeando o muro, e nele encontrará uma porta."

No fim da história, é a deficiência que leva o menino à sua oportunidade. Ele é sustentado pelo espírito resiliente que desenvolveu em resposta a seus desafios. Sozinho, descobre a porta no muro da fortaleza. Contra todas as expectativas, ele acaba se tornando o libertador que consegue penetrar despercebido nas fileiras inimigas e salvar o povo que tanto ama. É sua fé nas palavras do velho frade que o impulsiona.

A outra história foi escrita por H. G. Wells, mais conhecido por suas obras de ficção científica, como *A guerra dos mundos*. Na narrativa de Wells, a promessa da porta no muro é um cruel embuste. Um homem é perseguido a vida inteira pela lembrança de uma porta que conduz a um jardim encantado onde está contido tudo o que ele sempre desejou ardentemente. Durante toda a vida, ele busca essa porta, mas nunca tem êxito. No fim da história, seu cadáver é encontrado caído junto a uma obra em construção, atrás de um muro onde aparece o desenho de uma porta exatamente idêntica àquela procurada.

Todos nós sabemos sobre o muro. O muro é nossa finitude, são os nossos problemas, nossas limitações, nossas decepções e, no fim, é a nossa morte. A grande pergunta na vida é saber se o universo tem uma porta na parede. Talvez não tenha. Talvez a vida seja como Wells a descreveu.

Mas nossas histórias não conseguem evitar outra possibilidade. Em um nível mais profundo, portas não dizem respeito simplesmente a transições ou mesmo a oportunidades na vida. Portas dizem respeito a uma entrada em outra realidade.

O filme *Monstros S.A.* se baseia inteiramente em portas. Nele, os monstros usam portais para entrar no quarto de crianças e assustá-las, uma vez que o medo que elas sentem é a energia que alimenta a fábrica dos monstros. Uma porta permanece "ativa" e leva uma garotinha, Boo, a entrar na fábrica. A porta se abre para os dois lados. O outro mundo invade este mundo. No final, os monstros decidem fazer a criançada rir em vez de gritar, porque a alegria se mostra mais forte que o medo.

A Bíblia conta histórias estranhas de homens e mulheres que acreditam na existência de outro mundo; afirma que o jardim pelo qual ansiamos há muito tempo de fato existe; alega que os inimigos, o sofrimento e a morte não terão a última palavra; atesta que nós veremos um outro mundo, ou veremos este mundo consertado. Essa crença é o que impulsiona aqueles homens e mulheres, e a nós também, em meio ao sofrimento e à decepção: "Ora, a fé é a certeza daquilo que esperamos e a prova das coisas que não vemos. Pois foi por meio dela que os antigos receberam bom testemunho" (Hb 11.1-2). E, no mundo antigo, onde os deuses eram muitas vezes assustadores e monstruosos, surgiu a mensagem de um Deus que disse ao seu amigo Abraão: "Ah, a que lugares vocês irão!", e lhe pediu que desse a seu filho o nome Isaque, isto é, "riso", porque o patriarca decidiu que a alegria era mais forte do que o medo.

Eu acredito que existe uma porta. Acredito nisso porque a vida em si nos é dada como um presente. É uma porta "aberta" porque Deus é aquele que a abre. Não posso forçá-la. Essa é uma das grandes leis do universo. "A vida muitas vezes dispensa suas dádivas apenas se nós não fizermos um esforço demasiado para obtê-las. Eu me refiro a coisas como fazer amigos, conseguir dormir, ser um pensador original, causar uma boa impressão em uma entrevista de emprego, ou ser feliz na vida. Tente alcançar qualquer uma dessas coisas mediante esforço excessivo e o resultado será o fracasso. A fé em Deus é, em si mesma, mais um dom e uma descoberta do que uma conquista deliberada."[1]

"Lembre-se continuamente de que você precisa apenas seguir sempre margeando o muro, e nele encontrará uma porta."

Mas para nós isso é difícil de lembrar. Temos, Deus sabe, "pouca força". Nossas pernas são tortas e se cansam facilmente.

Portanto, aqui, ao final dessa nossa jornada de exploração de portas, é útil manter-nos em busca da porta quando o muro parece insuperável. Vamos examinar as razões principais da tentação de desistirmos da busca. E vamos lembrar que não devemos deixar de buscar.

"Não tenho força suficiente"

Às vezes, quando me sinto acabrunhado por um senso de incompetência, sou tentado a desistir de procurar oportunidades de ser parceiro de Deus. Por exemplo, tento meditar sobre um versículo bíblico que fala do amor — "Não inveja, não se vangloria, não se orgulha" (1Co 13.4). Meu pensamento no exato instante seguinte gira em torno de como eu poderia, de modo muito eficiente, ensinar esse versículo a outras pessoas. Depois penso em como as pessoas ficarão impressionadas com meu ensinamento e minha maneira bem-sucedida de empregar aquele verso.

Penso sobre outra porta mencionada nas Escrituras. Deus dirigiu-se a Caim quando este foi tentado a invejar e odiar: "O Senhor disse a Caim: 'Por que você está furioso? Por que se transtornou o seu rosto? Se você fizer o bem, não será aceito?

Mas se não o fizer, saiba que o pecado o ameaça à porta; ele deseja conquistá-lo, mas você deve dominá-lo'" (Gn 4.6-7).

A porta nesse caso é o que se poderia denominar "porta da tentação". Em qualquer momento em que sou tentado, Deus promete estar presente e providenciar uma rota de fuga. Às vezes, eu me lembro disso e fecho a porta para a tentação. Outras vezes, não.

Recebi um telefonema de uma vizinha realmente mal-humorada. Você já conheceu alguém assim? O que ela disse parecia injusto, severamente crítico e preconceituoso. Eu sempre tenho de tomar cuidado com esse tipo de situação porque sou pastor, e nunca sei quando alguém com quem falo em determinado contexto vai acabar frequentando a igreja a que sirvo. Mesmo assim, aquilo me deixou transtornado.

Eu podia sentir minha temperatura subir. Foi quando me lembrei de que Jesus disse: "Ame o seu próximo" (Mt 22.39). Então eu disse: "Tudo bem, Jesus. Essa vizinha precisa provar a paciência e o amor. Vou pedir que Nancy ligue para ela".

Conversei com um senhor que servia minha mesa em um restaurante. Ele tem dois empregos que lhe pagam um salário mínimo. Não um, mas *dois* empregos por um salário mínimo, só para equilibrar suas contas e sustentar a mãe. Eu não pretendia fazer nada particularmente generoso. Então me lembrei de que Jesus disse: "Não acumulem para vocês tesouros na terra [...]. Mas acumulem para vocês tesouros nos céus" (Mt 6.19-20). A necessidade daquele homem se tornou uma porta aberta para um pequeno gesto, para uma rápida oração.

Todos os momentos, até nas ocasiões mais estranhas, a porta do céu está aberta. Eu estava dirigindo com muita pressa por uma rodovia congestionada. (Quanto maior a pressa, tanto mais lento o trânsito.) Para piorar as coisas, um motorista passou todo mundo pelo acostamento, onde não é permitido trafegar. Não é uma pista. É um acostamento. Era como se a estrada fosse toda dele. Por fim, ele quis entrar bem na minha frente para pegar a alça de saída.

Para piorar o caso, eu olhei para ele. Não queria fazer isso, mas sabia que não era certo ignorá-lo. Ele olhou para mim e bateu com um dedo no relógio como se eu estivesse desperdiçando seu tempo. E Jesus também tinha palavras para uma circunstância como essa: "Para trás de mim, Satanás!".

Jesus tem palavras para todas as ocasiões. Isso é que é maravilhoso a respeito dele.

Por vezes, eu me lembro delas e as ponho em prática. Mas muitas vezes não é assim. Grito com minha família. Ponho-me na frente dos outros. Valorizo as pessoas porque elas me são úteis. Esforço-me para impressionar quem considero impressionante. Faço de mim mesmo o herói de minhas histórias. Alimento a cobiça. Sinto inveja.

Depois me olho no espelho e me sinto disposto a desistir de mim mesmo.

Eu estava na fila de uma mercearia e notei, à minha frente, uma mulher vestida de tal maneira que me permitia experimentar uma ligeira sensação de gratificação sexual. Sempre achei que, pelo simples fato de ter me tornado pastor, eu automaticamente amadureceria e ficaria imune a essas experiências, mas até agora esse desvio hormonal ainda não surtiu efeito.

Nessa ocasião, um pensamento me ocorreu, como se surgisse de repente do nada: "O que eu faria neste exato momento se meu amigo Dallas Willard estivesse aqui na fila comigo?".

Dallas exercia uma influência espiritual extremamente positiva sobre mim, bem como sobre muitas outras pessoas. Ele tinha falecido havia pouco tempo, e eu me surpreendia pensando nele com frequência. E, mais do que a maioria das pessoas que conheço, ele havia dominado a visão do belo em todas as pessoas, mas de um modo que estava em grande medida imune a desejos desregrados ou pouco escrupulosos.

Eu soube naquele momento que, se estivesse na fila com Dallas, não estaria fitando aquela mulher. E sabia que embora, em certo sentido, eu gostasse da gratificação momentânea, em sentido mais amplo, a melhor parte de mim gostaria de ser mais parecido com Dallas. De fato, não é que eu gostaria de reprimir o desejo ilícito, mas de me ver livre dele.

Então me lembrei de que, muito mais importante do que Dallas, Jesus estava, de certa forma, naquela fila comigo. Lembrei-me de que isso é o que Dallas ensinava e vivia, e era por esse motivo que eu gostava dele e ele me atraía. Percebi, contemplando Dallas, que esse jeito de viver é melhor.

E parei de olhar. A porta se fechou.

"O pecado o ameaça à porta", diz Deus a Caim, "mas você deve dominá-lo." Mas como se faz isso? Por mais estranho que pareça, não é por meio da força. No caso dessa porta, a porta da mente, o domínio acontece mediante a entrega. Se eu empregar força de vontade para tentar me obrigar a não invejar, a não comparar, a não sentir aversão, isso pouco adianta. Mas há outro jeito.

No meio de uma maravilhosa passagem da carta aos Filipenses na qual Paulo escreve sobre ter a mente livre da ansiedade e ocupada com a alegria e com qualquer coisa que seja verdadeira e justa e digna de louvor, ele faz esta maravilhosa promessa: "E a paz de Deus, que excede todo o entendimento, guardará o coração e a mente de vocês em Cristo Jesus" (4.7).

Não preciso montar guarda sozinho diante dessa porta. Deus me ajudará nisso, se eu pedir.

Na mesma carta, Paulo faz outra maravilhosa afirmação. O apóstolo diz que ele mesmo ainda não chegou lá: "Esquecendo-me das coisas que ficaram para trás e avançando para as que estão adiante, prossigo para o alvo" (3.13-14).

"Esquecendo-me das coisas que ficaram para trás." Minha culpa, minha incompetência, minha fraqueza, meus arrependimentos. "Eu sei que você tem pouca força", diz Deus.

Preciso me lembrar de que tenho de prosseguir.

"Lembre-se continuamente de que você precisa apenas seguir sempre margeando o muro, e nele encontrará uma porta."

"Deus não é bom o bastante"

Outro motivo que me tenta a abandonar a procura pela porta é o medo de que Deus desista de mim. Essa é a razão principal do homem que desperdiçou seu talento, conforme a parábola de Jesus. O empregado diz ao seu patrão: "Eu sabia que o senhor é um homem severo" (Mt 25.24).

Eu me esqueço do preço que Deus pagou para me abrir a porta do céu.

No primeiro ano de nosso casamento, minha mulher e eu viajamos para a Suécia e tomamos conhecimento da história da família de meu avô, uma história que, por seu estilo sueco, ele nunca nos contou.

Quando visitamos a antiga igreja paroquial frequentada pela família Ortberg cem anos antes e analisamos os registros ali disponíveis, juntamos as peças da história. Quando meu avô tinha 9 anos, a mãe dele morreu. A causa de sua morte foi ingestão de enxofre, o que significa que ela se suicidou ou tentou um aborto. A igreja não tolerava nada disso. Quando ela morreu, eles não puderam sepultá-la no cemitério da congregação. Minha avó foi enterrada fora dali, perto do portão daquele pequeno cemitério cercado, e seu filho de 9 anos não podia saber o lugar exato, não podia visitar a mãe falecida. Ela estava do lado de fora do portão.

Meu avô mudou-se da Suécia para os Estados Unidos, onde conheceu sua mulher e criou sua família. Sou grato por isso porque, se assim não fosse, nem meu pai e depois nem eu teríamos nascido. Entre outras ocupações, meu avô trabalhou como bedel na escola do ensino médio frequentada por meu pai. Quando o conheci, ele era um senhor idoso (faleceu aos 93 anos) que, de algum modo, passara toda a sua vida do lado de fora dos muros, olhando para dentro.

De muitas maneiras, isso se aplica a todos nós. A Bíblia começa com um quadro da vida sem porta nenhuma, onde um homem e uma mulher são íntimos de Deus e entre si, sem nenhuma vergonha e sem morte. Mas nós já não moramos ali. Em resposta ao pecado, a Bíblia descreve a primeira porta: "Depois de expulsar o homem, [Deus] colocou a leste do jardim do Éden querubins e uma espada flamejante que se movia, guardando o caminho para a árvore da vida" (Gn 3.24). A primeira porta é uma porta fechada. Nós estamos do lado de fora.

Os querubins guardando a porta do Éden são uma pequena imagem do templo, onde dois querubins sentados sobre a tampa da arca da aliança guardavam o lugar santíssimo. Essa era a parte mais sagrada do templo, acessível apenas a uma única pessoa, em um único dia do ano.

É uma imagem da busca que todos nós empreendemos: a procura pela porta que não conseguimos encontrar. Estamos do lado de fora. Deus está sempre tentando trazer filhos pródigos para casa. A porta da casa do Pai fica sempre aberta.

E, de algum modo, Jesus assumiu nossa condição de excluídos. De fato, em Hebreus lemos que Jesus sofreu "fora das portas da cidade" para santificar o povo (13.12).

Sabemos que, quando Jesus morreu, o véu do santuário rasgou-se em duas partes, de alto a baixo. Por meio de Jesus, a presença de Deus estava agora disponível a quem quer que a desejasse. Essa é a porta suprema, a porta de entrada do céu, a porta que estivemos procurando desde o Éden, a porta diante da qual somos todos impotentes, do lado de fora, olhando para dentro.

O pecado é um ambiente sem nenhuma porta. Há uma razão pela qual Jean-Paul Sartre, que sabidamente afirmou que "o inferno são os outros", rotulou o portão do inferno desta forma: "Sem saída".

Mas sempre existe uma porta.

Quem deixou a porta aberta?

> Digo-lhes a verdade: Eu sou a porta das ovelhas. [...] Eu sou a porta; quem entra por mim será salvo. Entrará e sairá, e encontrará pastagem. O ladrão vem apenas para roubar, matar e destruir; eu vim para que tenham vida, e a tenham plenamente.
>
> João 10.7,9-10

O próprio Jesus é a porta. Nenhum outro ser humano jamais disse isso sobre si mesmo. Nem Buda, nem Confúcio, nem Maomé, nem César, nem Napoleão. Foi Jesus quem disse isso. Por meio de Jesus — a porta, o caminho, o portal —, o lá-em-cima se tornou o aqui-embaixo.

"Eis que coloquei diante de você uma porta aberta."

Jesus se tornou um excluído a fim de que recebêssemos o convite para entrar. Jesus deixou sua casa a fim de que pudéssemos voltar para nossa casa. Quando o discípulo João era um homem jovem, ele ouviu seu amigo Jesus dizer: "Eis que estou à porta". Quando João já era um senhor idoso, foi-lhe concedida uma visão maior desse seu amigo: "Depois dessas coisas olhei, e diante de mim estava uma porta aberta no céu" (Ap 4.1). Jesus deixou a porta aberta.

Todos temos andado em busca de uma porta que está além do nosso alcance, e muitas vezes a procuramos de maneiras erradas. Há uma citação usualmente atribuída a G. K. Chesterton, mas cuja fonte é desconhecida: "Todas as vezes que um homem bate à porta de um bordel, ele está, de fato, procurando Deus".

Um bordel é um lugar escandaloso. Mas Jesus escandalizava as pessoas envolvendo mulheres escandalosas com seu amor redentor. Quando Jesus bateu à porta de um bordel, não era um homem procurando Deus. Era Deus procurando o homem.

Deus é bondoso o bastante. Deus é *mais* do que bondoso o bastante. A bondade de Deus é motivo suficiente para continuarmos margeando o muro até achar a porta.

"O mundo não é seguro o bastante"

Transpomos portas abertas em busca de liberdade, aventura e vida; mas nós as evitamos quando sentimos medo. Fechamos portas atrás de nós para ter segurança e descanso. As portas são a parte mais importante dos muros que cercam a cidade (ou das paredes de uma casa). Elas são necessárias, mas também vulneráveis e, portanto, são vigiadas.

Por isso, as palavras mais poderosas na história de Israel têm a ver com portas. Essas palavras provêm de Deuteronômio 6.4-5: "Ouça, ó Israel: O Senhor, o nosso Deus, é o único Senhor. Ame o Senhor, o seu Deus, de todo o seu coração, de toda a sua alma e de todas as suas forças". Essas palavras receberam o nome de *Shemá*, com base na primeira palavra hebraica, que significa "ouça".

Os israelitas tinham de lembrar essas palavras e falar delas ao entrar e ao sair de casa. Deviam escrevê-las nos batentes de suas portas e em seus portões. Assim se originaram os mezuzás, rolos de pergaminho manuscritos inseridos em pequenos estojos que eram fixados nos batentes das portas da casa. Vinte e duas linhas contendo os primeiros dois parágrafos do *Shemá*. No verso do pergaminho, aparecia inscrita esta única palavra: *Shaddai* (Todo-poderoso). As três consoantes dessa palavra eram tomadas como um acrônimo de "Guardião das Portas de Israel".

Esse acrônimo devia ser também um lembrete de que Deus cuida de seu povo o tempo todo. Em hebraico, a expressão "ao entrar e ao sair" era uma descrição da totalidade absoluta da vida de um indivíduo, recurso semelhante ao que recorremos quando dizemos "Me chame a qualquer hora do dia ou da noite" para informar a alguém que estamos disponíveis a qualquer momento.

Esse é um ponto importante, porque eu muitas vezes acho que, para me livrar da ansiedade, preciso de um resultado garantido. Mas estou errado. Não é o que está do outro lado da porta que me dá confiança para entrar; é aquele que me acompanha.

Pois vou lhe contar outro segredo sobre portas abertas. O que nós mais queremos não é o que está atrás da porta. O que nós mais queremos é a pessoa que abre a porta. Quando entramos por uma porta, nós sempre vamos com o Senhor. Ele nos recebe na entrada. O fascínio da porta aberta não são as novas circunstâncias, o cargo, o lugar, a realização. É o fato de estar com aquele que transforma o lugar onde estamos no País das Maravilhas.

Há uma história talmúdica sobre um rei que certa vez enviou uma pérola para Rav, o rabino mais famoso da época. Rav retribuiu o presente enviando ao rei um simples mezuzá. O rei ficou furioso com a discrepância dos valores. Rav explicou: "O presente que o senhor me enviou é tão valioso que terá de ser guardado, ao passo que o presente que eu lhe enviei guardará o senhor".

Esse rabino fez uma adaptação de Provérbios 6.22: "Quando você andar, ele o guiará; quando dormir, o estará protegendo".[2]

Israel se lembraria de que foi o sangue de um cordeiro sacrificado esparzido sobre suas portas que o protegeu do julgamento e da morte durante os dias do Êxodo. O próprio ato de transpor uma porta, passando da segurança de casa para um mundo de perigos, tornou-se um lembrete sagrado da amorosa proteção divina.

A presença e o poder de Deus nos dão segurança mais do que qualquer proteção meramente humana poderia nos dar. Essa promessa está por trás das grandes imagens do Antigo Testamento: "Abram-se, ó portais; abram-se, ó portas antigas, para que o Rei da glória entre. Quem é o Rei da glória? O Senhor forte e valente, o Senhor valente nas guerras" (Sl 24.7-8).

Sendo a parte mais vulnerável dos muros das cidades antigas, as portas não podiam ser abertas com facilidade. Uma vez abertas, qualquer inimigo poderia invadir e subjugar a cidade. Mas, nesse caso, elas precisavam ser abertas, pois era justamente a segurança que estava entrando na cidade.

Da perspectiva humana, o grande inimigo é a morte, nosso temido inimigo final. No mundo antigo, diante da morte, o estoicismo era considerado a virtude mais admirável e adequada, mais que a esperança. O homem (na Antiguidade, sempre o homem) que dominava seus medos e ansiedades mais profundos era considerado um conquistador.

Paulo escolheu suas palavras com cuidado: "Quem nos separará do amor de Cristo? Será tribulação, ou angústia, ou perseguição, ou fome, ou nudez, ou perigo, ou espada? [...] Mas, em todas estas coisas somos mais que vencedores, por meio daquele que nos amou" (Rm 8.35,37). "Mais que vencedores" não é apenas uma expressão. É uma alegação. Uma promessa. A batalha suprema não consiste em minha luta pessoal contra o medo que tenho de uma inexorável condenação. É Cristo derrotando a condenação.

O muro não é tudo. Simplesmente continue caminhando ao longo dele. Haverá uma porta e você vai reconhecê-la por este sinal: "Mais que vencedores".

"O caminho não é claro o suficiente"

"Batam, e a porta lhes será aberta", disse Jesus.

Mas ele não nos disse por quanto tempo devemos bater. Não nos disse como escolher a porta certa, sem margem de erro. Não nos deu uma fórmula quanto a que opção escolher. Moisés continuou orando durante quarenta anos de viagem pelo deserto e nunca chegou à terra prometida. Paulo continuou pedindo que o espinho em sua carne fosse removido, e isso nunca aconteceu. Posso me sentir tentado a desistir de buscar a porta por não saber onde procurá-la.

Há uma velha dica para viajantes. Os faróis de um carro iluminam apenas cinco metros à frente do veículo, mas esses cinco metros são suficientes para levar qualquer um por todo o caminho até sua casa. Deus sabe exatamente de quanta claridade nós precisamos — nem de mais, nem de menos. Nós não seguimos a claridade. Seguimos *Deus*.

Bob Goff relata como desejava desesperadamente tornar-se advogado a fim de impactar o mundo na área da justiça. Ele sabia qual era o curso de Direito que queria fazer. O único problema é que não foi aceito como aluno.

Então, ele se dirigiu até a sala do diretor, apresentou-se e explicou sua situação, declarando quanto queria frequentar aquela escola, apesar de ter sido rejeitado.

— Entendo. Bom dia. Passe bem — disse o diretor.

Bob decidiu continuar batendo:

— O senhor tem o poder de mudar minha vida. Tudo o que precisa me dizer é "Vá comprar seus livros", e eu já poderei ser um estudante aqui.

O diretor sorriu:

— Bom dia. Passe bem.

Bob decidiu acampar junto à sala do diretor. Faltavam cinco dias para o início do curso. Quando o diretor chegava pela manhã, lá estava Bob.

— Mude minha vida com quatro palavras: "Vá comprar seus livros".

Sorriso:

— Bom dia. Passe bem.

Bob não desistiria. Ele descobriu a rotina do diretor: a que horas chegava, a que horas ia para casa, em que período se retirava para o almoço, quando ia para a academia de ginástica. Todas as vezes que o via, Bob lhe lembrava:

— Quatro palavras. Mude a minha vida.

Chegou o dia em que o curso de Direito teria início. Bob sabia que aquele seria o seu dia. Ele viu o diretor umas dez vezes naquela data. A cada vez, o mesmo recado:

— Simplesmente me diga para comprar os livros.

— Bom dia. Passe bem.

Veio o segundo dia do curso. Bob já estava ficando atrasado, e ele nem sequer havia ingressado na turma. No fim daquela tarde, ele ouviu passos. A essa altura, reconhecia os passos do diretor, cuja rotina conhecia de cor. Não era comum o diretor deixar sua sala naquele horário.

O diretor fitou Bob nos olhos, piscou para ele e disse as quatro palavras que lhe mudaram a vida:

— Vá comprar seus livros.

Ele comprou os livros.

Bob continuou servindo a Deus de maneiras impressionantes, inclusive como diplomata internacional e docente no curso de Direito. Aqui está o que ele escreveu sobre atravessar portas:

> Certa vez ouvi alguém dizer que Deus havia fechado a porta de uma oportunidade almejada. Mas eu sempre me perguntei se, quando queremos algo que sabemos ser certo e bom, Deus não coloca esse desejo no fundo de nosso coração porque de fato quer isso para nós e porque isso o glorifica. Talvez haja ocasiões em que pensemos que uma porta nos foi fechada; mas Deus pode querer que a arrombemos em vez de interpretarmos

erroneamente as circunstâncias. Ou talvez ele deseje que simplesmente nos sentemos do lado de fora por um tempo suficientemente longo até que alguém nos diga que podemos entrar.[3]

Imagine se Bob tivesse deixado a sala do diretor no quarto dia. Lembre-se continuamente de seguir margeando o muro. Tão somente não desista.

Ella Fitzgerald estava cantando "Mack the Knife" para uma plateia em Berlim. Era a primeira vez que interpretava aquela canção, e, no meio da apresentação, Ella se esqueceu da letra. A maioria das pessoas pensaria em desistir naquele ponto. Ela decidiu seguir em frente. Enquanto cantava, ia inventando palavras que rimavam e se encaixavam na melodia. A apresentação foi tão boa que a intérprete acabou ganhando um Grammy por ela!

Mary Cahill era uma mãe de classe média. Desafiada a escrever sobre o que conhecia, ela brincou dizendo que o título de seu livro seria *Carpool* [Carona solidária]. Desafiada novamente, ela se sentou e escreveu um romance: *Carpool: A Novel of Suburban Frustration* [Carona solidária: um romance sobre a frustração suburbana]. Após nove rejeições, ela o vendeu para a Random House. A obra foi escolhida pela Literary Guild, uma espécie de Clube do Livro norte-americano, e mais tarde o conglomerado de mídia Viacom comprou os direitos de filmagem do romance.

Muitas vezes, as portas abertas e as portas fechadas com que deparamos são para nós uma incógnita. Paulo queria levar seu ministério para a Ásia, mas ele e Silas foram "impedidos pelo Espírito Santo" (At 16.6). (Como terá sido essa experiência?) Depois, pretendiam ir para algum lugar na Bitínia, mas foram "impedidos pelo Espírito Santo" (v. 7). Tudo isso sem explicação nenhuma. Até que Paulo teve uma visão: um homem da Macedônia suplicando e lhe pedindo: "Passe à Macedônia e ajude-nos" (v. 9).

Foi o que ele fez.

E assim a palavra de Deus chegou à Europa. Através de uma porta aberta. Contudo, começou com uma porta fechada.

Paulo começou a pregar o evangelho, mas isso lhe criou problemas com gente que, por suas pregações, estava perdendo consideráveis quantias em dinheiro. Por essa razão, Paulo e Silas foram presos. Na mesma noite, houve um terremoto que abalou o cárcere em que estavam, e "imediatamente todas as portas se abriram" (16.26). Se eu fosse Paulo, tenho certeza de que teria fugido imediatamente por aquelas portas, julgando que elas tinham sido abertas por Deus. Mas Paulo não as transpôs. Ele logo tranquilizou o carcereiro que queria se suicidar: "Não faça isso! Estamos todos aqui!" (v. 28), pois, se os presos escapassem, o carcereiro teria de pagar com a própria vida. E aquilo abriu uma porta para o evangelho no coração do carcereiro e de sua família, coisa que de outro modo nunca teria acontecido.

Que vida impressionante! Quando as portas pareceram estar fechadas para Paulo, ele aguardou portas maiores. Quando as portas pareceram estar abertas para sua liberdade, ele escolheu não passar por elas, a fim de que portas maiores pudessem ser glorificadas.

Deus muitas vezes só nos dá claridade suficiente para dar o próximo passo, seguindo-o no caminho. Em Atos 12, Pedro foi preso e condenado à morte. A igreja, ficamos sabendo, orava intensamente a Deus por ele. Na mesma noite foi enviado a Pedro um anjo, que o libertou de suas algemas. Pedro e o anjo "chegaram ao portão de ferro que dava para a cidade. Este se abriu por si mesmo para eles" (v. 10). Que linguagem maravilhosa! Que experiência marcante: um portão exercer sua própria vontade por um momento!

Pedro foi para a casa onde os discípulos estavam reunidos, orando por ele. Bateu à porta do alpendre, e uma serva chamada Rode veio atender. "Ao reconhecer a voz de Pedro, tomada de alegria, ela correu de volta, sem abrir a porta, e exclamou: 'Pedro está à porta!'" (At 12.14). (Ao que parece, Rode era mais sensível do que sensata.) O restante da história é precioso demais para não ser reproduzido: "Eles porém lhe disseram: 'Você está fora de si!' Insistindo ela em afirmar que era Pedro, disseram-lhe: 'Deve ser o anjo dele'. Mas Pedro continuou batendo e, quando abriram a porta e o viram, ficaram perplexos" (v. 15-16).

Deus é o Deus da porta aberta.

Então, os séculos vão se sucedendo. Gerações de homens e mulheres descobrem, ou deixam de descobrir, as portas que Deus lhes abre.

E hoje é o seu dia. Hoje é a sua porta aberta.

Quem sabe o que este dia lhe reserva? Que pessoa poderia precisar de seu encorajamento? Que percepção você poderia ter? Que problema você poderia resolver? Que aprendizado poderia descobrir? Que serviço poderia prestar? Você poderia promover a causa da justiça, impedir algum ato de opressão, aliviar o fardo de alguém, aumentar a dignidade de alguém.

Você poderia fazer algo para a eternidade.

A Bíblia começa com uma porta que é fechada, a porta do Éden, que procuramos a vida inteira. No fim, as Escrituras apresentam a vida sendo redimida por Deus. Apresenta uma cidade de resplendor inigualável, alegria radiante, beleza moral e conhecimento isento de qualquer embaraço. Será um lugar de oportunidades infinitas diante de um Deus amoroso, onde os que foram minimamente fiéis aqui na terra serão encarregados de cuidar de cidades inteiras.

E uma última coisa. No mundo antigo, sempre havia muros com portões, e os portões precisavam ser vigiados, fechados, porque o perigo e a morte estavam o tempo todo à espreita.

Sabemos que haverá doze portões na cidade que está por vir, cada um feito de uma única pérola. Ali está a origem da expressão inglesa "pearly gates" [portões de pérola], embora a Bíblia esteja falando de pérolas que ostra nenhuma sabe produzir.

O número doze remeteria cada leitor à quantidade de discípulos, que, por sua vez, remeteria ao número das tribos de Israel, significando que havia espaço para todos.

Você tem um portão.

"As nações andarão em sua luz, e os reis da terra lhe trarão a sua glória. Suas portas jamais se fecharão de dia, pois ali não haverá noite" (Ap 21.24-25).

A porta final é uma porta aberta.

Ainda está aberta.

"Lembre-se continuamente de que você precisa apenas seguir sempre margeando o muro."

POSFÁCIO

Aprendi o segredo da porta aberta com um professor de grego chamado Gerald Hawthorne, um homem de meia-idade com cabelos ruivos e dedos ossudos.

Quando me inscrevi para o curso de grego na faculdade, eu nem imaginava que aquela era uma porta abrindo-se para um mundo de ideias que mudariam minha vida e direcionariam meu chamado. Nem imaginava que aquilo me levaria a um círculo de amigos que continuariam comigo até hoje, ou a um mentor que desafiaria e dirigiria meu sentimento de vocação. Nem imaginava que aquilo me levaria à mulher com quem me casaria, ou ao emprego que assumiria, ou à pessoa que eu viria a ser. Tudo o que eu sabia era que meu amigo Kevin afirmara ter ouvido dizer que as aulas do dr. Hawthorne eram imperdíveis e que estudar grego antigo parecia mais fácil do que estudar espanhol, porque, se alguma palavra for mal pronunciada, ninguém vai perceber.

Nunca sabemos aonde chegaremos a partir das portas que transpomos. Às vezes, nem sabemos que a porta existe. Às vezes, a porta surge como um mero presente.

Você imaginaria que uma aula de grego às oito da manhã, três vezes por semana, seria uma experiência fascinante? Não. Mas você estaria errado. Ninguém se atrasava, não porque seríamos penalizados, mas porque o dr. Hawthorne dedicava os cinco primeiros minutos da aula a reflexões inspiradoras que poderiam mudar a vida de quem quer que fosse.

Um dia, aqueles cinco minutos foram devotados ao segredo da porta aberta:

> Ao anjo da igreja em Filadélfia escreva: "Estas são as palavras daquele que é santo e verdadeiro, que tem a chave de Davi. O que ele abre ninguém pode fechar, e o que ele fecha ninguém pode abrir. Conheço as suas obras. Eis que coloquei diante de você uma porta aberta que ninguém pode fechar. Sei que você tem pouca força, mas guardou a minha palavra e não negou o meu nome".
>
> Apocalipse 3.7-8

O dr. Hawthorne iniciou suas observações com uma pequena lição de gramática, assunto pelo qual era apaixonado. Ele amava a racionalidade e a ordem das línguas. Com frequência, quando nos queixávamos da dificuldade de aprender grego, ele declarava que nessa língua não existia o que chamamos de irregular. Eu nem sequer sabia o que era um verbo irregular: para mim, aquilo soava como um verbo com um problema digestivo. Mas Hawthorne gostava de investigar os detalhes da língua para descobrir o que havia sob a superfície.

Na passagem citada, ele começou observando um aspecto do pretérito perfeito em grego. O verbo descreve uma ação passada que aconteceu e terminou, mas cujos efeitos perduram até o presente. Vemos isso lindamente ilustrado em 1Coríntios 15.3-5, que apresenta toda uma série de verbos no aoristo, forma aspecto-temporal que descreve ações do pretérito perfeito simples: Cristo morreu; Cristo foi sepultado; Cristo foi visto por Pedro; Cristo apareceu aos apóstolos... e assim por diante.

Mas, em meio a esses verbos no pretérito perfeito simples, o pretérito perfeito é usado para descrever a ressurreição de Cristo: ele ressuscitou dentre os mortos e ainda é o ressuscitado. O efeito da Ressurreição no passado é que Cristo está vivo *agora*.

Esse é o tempo verbal empregado em Apocalipse 3.8. A porta foi aberta, e permanece aberta agora.

Há uma porta aberta para você. No mistério da divina providência, ela pode ter sido aberta há muito tempo, mas continua aberta. Isso significa que este momento está repleto de oportunidades. Essa é uma verdade incrível sobre a vida, algo que nós geralmente não enxergamos.

Todavia, segundo Hawthorne, há um ensinamento ainda mais estimulante nessa passagem.

O adjetivo "aberto" não é apenas um particípio passado, mas um pretérito perfeito passivo. Não apenas uma "porta aberta", mas uma "porta *que foi aberta*".

"Vocês captaram isso?", perguntava ele com emoção na voz. "Vocês conseguem perceber a diferença?"

Como já vimos, muitos dos autores do Novo Testamento, por sua formação judaica, prefeririam não proferir o nome

"Deus" para evitar usá-lo de modo irreverente. Essa tendência é às vezes denominada "passivo divino", e a forma verbal passiva era muitas vezes empregada para referir-se à atividade de Deus sem precisar fazer uso da palavra *Deus*.

Assim, essa porta da qual o Deus vivo fala não é meramente uma porta aberta, como aquela que sem intenção alguma foi deixada aberta por algum menino descuidado. É uma porta que foi divinamente aberta, uma porta intencionalmente, calculadamente, propositadamente, deliberadamente aberta pelo próprio Deus diante de nós.

Essas, portanto, dizia o professor, são as maravilhosas ideias que pairam em torno dessa poderosa imagem da porta. O Senhor Jesus está ao nosso lado e nos convida a perceber algo estupendo: "Vejam, eu dei a vocês uma porta que foi escancarada por Deus. Aqui está ela. É o meu presente para vocês, e está exatamente diante de vocês!".

Uma porta!

Retomando as palavras do amado dr. Hawthorne, essa é a porta que simboliza "infinitas oportunidades de fazer algo que valha a pena; grandes aberturas para novas e desconhecidas aventuras de vida significativa; chances até então inimagináveis de fazer o bem, de fazer nossa vida ter valor para a eternidade".[1]

Em seguida, Gerald Hawthorne falava de sua vida como uma série de portas abertas.

Ele teve a oportunidade de estudar em uma faculdade onde se sentia menos dotado que outros alunos. Muitas vezes, dizia que era o Ursinho Puff, um urso com um cérebro muito pequeno. Sempre que um aluno fazia alguma coisa notável, ele comentava: "Eis mais um exemplo de um aluno superando seu professor". Dizia isso, mesmo sendo ele o professor mais querido na Faculdade de Wheaton durante quatro décadas, mesmo sendo seu comentário sobre Filipenses um dos melhores já escritos.

Ele até mesmo receava frequentar a faculdade porque temia não ter a inteligência necessária. Mas depois, dizia ele, sua mente voltava para esse trecho de Apocalipse. Nele observou que Cristo não apenas disse: "Veja, eu coloquei diante de você uma porta aberta por Deus", mas também: "Veja, eu sei que você tem pouca força!".

O que lhe ocorria ao ler essas palavras era: "Veja, eu não lhe apresento portas abertas sem dotá-lo com a coragem, a força e o poder de entrar por elas. Quando sua pequena força se esgotar, recorra à minha. Pare, então, de se preocupar com sua capacidade. Pare de usar a desculpa da fraqueza para recuar e abandonar esta oportunidade. Lembre-se, são os fracos que podem ficar fortes. Lembre-se de que minha força é aperfeiçoada em sua fraqueza!".

Quando Hawthorne se formou, foi lhe dada a oportunidade de lecionar grego antigo em Wheaton. De novo, ele se sentiu oprimido por seu sentimento de incompetência, mas, enquanto orava, ouviu o Senhor Ressuscitado dizendo: "Veja, eu lhe apresentei uma porta aberta por Deus e, claro, eu sei que você dispõe de pouca força. Lembre-se, porém, de que todo poder me foi dado. Portanto, não perca essa oportunidade!".

O poema singelamente inábil de John Masefield sobre um jovem adulto em um rincão isolado também lhe vinha à mente:

> Já vi flores se abrindo em pedra partida;
> E bondade no olhar de uma cara encardida;
> E o cavalo pior vi vencendo a corrida;
> Assim, eu também confio.

Como o jovem adulto de Masefield, o professor afirmava ter tomado confiantemente em suas mãos a mão do Senhor e transposto a porta que Deus tinha aberto para ele; então, ingressou na mais "feliz, desafiadora, estimulante profissão que alguém poderia ter imaginado".

(Você provavelmente não imaginaria que alguém pudesse descrever o ensino de grego antigo com essas palavras. Mas você estaria errado. Deus reserva uma porta na qual se lê o seu nome.)

Em seguida, Hawthorne dizia: "Se há alguma lição em todas essas experiências de vida, muitas das quais me intimidaram [...], se há alguma lição que posso compartilhar com vocês hoje, independentemente de sua idade ou condição, a lição é esta: o nosso Deus é o Deus da porta aberta, a porta de oportunidades sem limites que continuam se abrindo para nós a vida inteira, variando desde a chance de fazer algo que nos parece demasiado grande até a prática de pequenos gestos de gentileza (que são, na verdade, grandes gestos em nosso mundo sombrio, descuidado e insensível!)".

Portas abertas nunca dizem respeito apenas a nós mesmos. Pelo fato de o dr. Hawthorne ter entrado por essas portas, a vida de centenas de alunos foi transformada, inclusive a minha. Ele foi o professor e mentor daquele círculo de amigos que mencionei no início deste capítulo. Ele nos desafiou, nos ensinou, acreditou em nós, nos estimulou. Quando eu estava me aproximando do fim da graduação, ele me puxou para um canto e disse: "John, acho que você deve ir para a Califórnia; creio que você deve estudar no Seminário Teológico Fuller".

Eu tinha passado toda a minha vida no estado de Illinois. Não queria ir para a Califórnia de jeito nenhum. Achava os californianos esquisitos. Além do mais, teria saudades da minha família.

Eu me inscrevi em um programa do Seminário Fuller visando conseguir um diploma em psicologia e outro em teologia. O dr. Hawthorne aconselhou: "Se for aceito, acho que deve tomar isso como uma porta que Deus abriu para você, e acho que você deve se dispor a deixar o lugar onde se sente confortável e seguro e ir para algum lugar onde possa crescer e esforçar-se ao máximo. Em seguida, julgo que deva juntar tudo o que puder aprender sobre psicologia e teologia e ver se você pode fazer de sua vida uma aventura a serviço de Deus".

E então fui.

Eu não fazia ideia do que aquilo poderia significar. Não fazia ideia de que eu viria a ser um péssimo terapeuta; de que, quando meus clientes me procurassem, eles de fato acabariam saindo do consultório mais imaturos do que antes. Mas eu nunca teria descoberto isso se não tivesse entrado por aquela porta. Muito me alegrou ter feito essa descoberta logo, não depois de trinta ou quarenta anos de imperícia terapêutica.

Ao mesmo tempo, conheci um pastor chamado John F. Anderson ("O 'F' é de Frederick", ele sempre dizia modestamente, "como em Frederico, o Grande".) John me convidou a trabalhar na igreja dirigida por ele, a Primeira Igreja Batista em La Crescenta-Montrose, Los Angeles. Inicialmente, serviria apenas durante algumas horas por semana. Eu não fazia ideia de que estava conhecendo alguém que acreditaria tanto em mim a ponto de mudar minha vida. Não fazia ideia, quando transpus a porta daquela igreja pela primeira vez, de que estava entrando em uma vocação, e não apenas em um edifício.

John foi outro grande abridor de portas em minha vida. Ele e sua mulher, Barb, me abriram sua casa, pois a amizade é uma porta aberta. Com John aprendi a grande lição de que o ministério deve ser marcado pela alegria. Certa vez, quando estávamos no centro de Los Angeles, John caminhou para o meio de um parque e anunciou alto e bom som que era um prazer para ele ver que tanta gente visitava aquele parque, e que eu, seu jovem colaborador, proclamaria uma inflamada mensagem, coisa que fiz, aos berros, em meu melhor estilo batista. Lembro-me de muitas ocasiões na casa desse casal, situações tão hilárias que acabávamos rolando no carpete da sala de tanto rir.

John me pediu para pregar. Então, depois de cinco minutos de eu ter iniciado meu sermão, desmaiei. Tínhamos uma plataforma de mármore, e eu simplesmente desabei sobre ela. *Ploft*!

Mais tarde, eu me desculpei com John, especialmente porque aquela era uma igreja batista, não uma igreja carismática onde se ganha créditos por ir ao chão enquanto prega.

— Se você nunca mais me pedir para pregar, vou entender — completei.

— Não seja ridículo — disse ele.

E logo me fez pregar de novo.

Comecei a preparar sermões quando era muito jovem, e adorava aquilo, embora também me sentisse aterrorizado. O fato de ter desmaiado enquanto pregava me fez indagar se aquela porta se fecharia para mim.

Na ocasião seguinte em que preguei, desmaiei de novo. Tive certeza de que *aquilo* era o fim, ao que John disse: "Não, não é o fim. Vou pedir para você pregar de novo na próxima semana. Vou fazer você pregar até você desistir de desmaiar ou morrer por causa disso".

E foi o que ele fez. Notei que ele tinha mandado forrar a plataforma: o carpete era lindo, grosso, felpudo e macio. Mas eu continuei pregando.

Pouco tempo atrás recebi uma carta daquela igreja, querendo saber se eu aceitaria pregar na celebração do 75º aniversário da congregação. John se aposentara havia muito tempo, e o pastor em exercício escreveu: "As pessoas aqui ainda se lembram de você", o que me envaideceu... até eu ler "como o pastor que desmaiava. Elas ainda se lembram de você". Assim, decidi pregar no aniversário daquela igreja. E decidi que vou desmaiar de novo só para lembrar os velhos tempos. Espero que ainda tenham aquele carpete felpudo!

Eu não fazia a mínima ideia de que, por meio daquela mudança para a Califórnia, por intermédio daquela igreja, eu conheceria Nancy. Sempre achei que, se um dia eu me casasse, seria com uma garota do meio-oeste americano, onde me estabeleceria. Mas Nancy, uma garota da Califórnia, se casou comigo, e tivemos filhos californianos e temos um cachorro californiano e servimos em uma igreja californiana. Preciso dizer que sou grato por essa vida, mais do que palavras podem expressar. Sou indescritivelmente grato pelo tratamento que Deus me dispensa, e me dispensou em inúmeras ocasiões, apesar de minhas falhas e de toda a minha incompetência.

Quando o dr. Hawthorne se aposentou, a faculdade ofereceu um banquete em sua homenagem. Nós, seus alunos, mencionamos que alguns dos melhores momentos naquela escola foram as ocasiões em que deixamos de ir para a capela (a administração não gostava nada disso) para conversar, orar, rir e aprender com Hawthorne, porque inúmeras portas se abriram em nosso coração e em nossa mente naqueles momentos.

O professor revelou: "Não quero me aposentar, no sentido de voltar para trás em relação a qualquer porta aberta por Deus que eu vim a transpor. Não quero agir como quem diz: 'Deixem-me descansar agora, deixem-me em paz, já fiz meu trabalho, chega. Não contem mais comigo. Podem mandar a maca me tirar do campo'".

Hawthorne se tornou um grande incentivador de toda a escola, desde os alunos até os professores e os administradores. Ele estimulava ex-alunos no trabalho que exerciam. Também ensinava em igrejas.

Assumiu outro empreendimento gigante: escrever um comentário sobre Colossenses. Dessa vez, porém, uma porta começou a se fechar lentamente. A memória começou a traí-lo. Reuníamo-nos para o café da manhã seguido de discussões programadas, como nos velhos tempos, mas ele já não se lembrava nem dos tópicos, nem dos nomes envolvidos. Às vezes, recorria a um simples resmungo, quando as palavras lhe faltavam. No entanto, a angústia pelo esquecimento não conseguia vencer seu desejo de estar presente com aqueles que amava.

Alguém pode pensar que ser uma pessoa do tipo porta-aberta é um privilégio reservado àqueles a quem a natureza deu um temperamento resiliente, ou às pessoas geneticamente dotadas com altos níveis de autoconfiança e muito otimismo. Mas isso estaria errado. Hawthorne foi um indivíduo que sempre lutou com a dúvida em relação a si próprio e a ansiedade. Mas isso também fazia parte do seu dom. Havia nele uma espécie de consciência de falibilidade, pelo que os outros viam nele um refúgio. As pessoas compartilhavam com ele segredos e sofrimentos que nunca teriam dividido com alguém autoconfiante, infalível.

Acontece que o professor estava tão comprometido com a transposição de portas abertas que nunca conseguiu abandonar esse hábito.

Você pode pensar que é mais seguro evitar a porta, ficar onde está. Ironicamente, nós às vezes fugimos das portas abertas porque nos sentimos fracos ou cansados. Temos medo de que mais uma porta nos deixe exaustos. Mas recuar diante das portas exaure o espírito humano muito mais do que arrojar-se portas adentro. Hawthorne costumava citar uma antiga lenda rabínica que capta esse espírito:

> Duas brilhantes moedas foram cunhadas,
> Em valor e beleza idênticas e raras.
>
> Uma caindo da mão foi ao chão;
> Perdida de vista, foi buscada em vão.
>
> A outra por muitas mãos foi negociada,
> Em muitas cidades ia sendo trocada.
>
> Foi dízimo no templo, foi usada no mercado;
> Doada foi aos pobres, em um gesto mais raro.
>
> No fim aconteceu, muitos anos mais tarde:
> A moeda perdida ressurgiu sem alarde.
>
> Suja, enegrecida, a inscrição quase apagada,
> Na ferrugem do tempo em que não fora usada.
>
> Mas a moeda usada brilhava e reluzia
> Pelos anos de serviço que muito exibia.

Pois mais brilham aqueles que vivem servindo;
Mais que o uso, a ferrugem desdoura o que é lindo.[2]

Certa vez, ele expressou isso da seguinte maneira: "Embora eu esteja muito velho, e muitas vezes sinta o peso da idade, não quero fechar os olhos a nenhuma porta que Deus me abrir no começo de cada novo dia. Não quero recuar diante da entrada por estar muito temeroso ou muito cansado, pois ainda resta muita coisa boa a ser feita. Peço a vocês que se juntem a mim neste desafio de toda uma vida: entrar, enquanto estivermos vivos e respirando, pelas portas abertas por Deus, nas quais recebemos oportunidades concedidas pelo Senhor Jesus Cristo".

No fim de semana do sesquicentenário da Faculdade de Wheaton, tomei o avião e voltei a Illinois. Eu e um grupo de ex-alunos nos reunimos mais uma vez com o professor para um café da manhã. Ele orou, mencionando primeiro o nome e o sobrenome de cada um à mesa, como fazia 35 anos antes. Aquela foi a última vez que o vi.

Encontramo-nos em agosto do ano seguinte para o funeral de Hawthorne. Sua família optou por alugar uma igreja maior para a ocasião, pois a multidão que compareceu não caberia na igreja que ele sempre frequentara. Além disso, centenas de pessoas registraram, em um *site* da internet, em que grande medida tiveram a vida transformada pela atuação desse homem.

No funeral, Steve, filho do dr. Hawthorne, nos entregou as anotações que seu pai fizera acerca de portas abertas. Ele também me mostrou, em um exemplar do Novo Testamento em grego antigo, o lembrete gravado em letra caprichada no qual o professor orava nominalmente por mim, minha mulher e cada um de meus três filhos, e por outros inúmeros alunos e respectivas famílias.

Hawthorne nunca parou de transpor portas abertas. No fim, ele simplesmente entrou por uma porta pela qual não pudemos acompanhá-lo. Ainda.

Portas se abrirão. A pergunta é: Será que vou perceber? Será que vou responder?

Um dos antigos alunos de Hawthorne, David Church, foi em frente tornando-se, também, professor. Com base naquelas anotações, Church escreveu o poema "O risco das portas abertas":

O medo de penetrar
Naquele vórtice entre
Universos que, mesmo se
O primeiro pudesse ser revisitado,
Não seria
Como era: seguro, encantador.
No entanto, a porta foi aberta
E eu estou diante dela.
Que vento estranho roça minha úmida fronte?
Se eu voltar trás,
Para o encanto da segurança
Desses espaços familiares,
Aquele retângulo de sombras cambiantes
Sobre o chão do meu universo,
Ora escuras, ora douradas,
Ora incandescentes, queimarão
Em mim como uma pergunta não respondida,
Como uma amizade negligenciada,
Como um amor perdido.

Coração disparado. Meu Deus,
Me ajuda. Lá
Vou eu.

Quanto a nós, seguimos o Senhor da Porta Aberta.

Jesus sempre estava pronto para transpor qualquer porta aberta que seu Pai pusesse diante dele.

A qualquer custo. E o custo foi grande.

No fim, eles o suspenderam pregado numa cruz; desceram seu corpo e o depositaram em um sepulcro lacrado com uma enorme pedra. E ele ali ficou por dois dias. Durante dois dias o mundo ficou frio, fechado, vazio.

Mas, no terceiro dia, o Pai disse ao Filho: "Eis que coloquei diante de você uma porta aberta".

E ele saiu para o outro lado.

A porta ainda está aberta.

NOTAS

Capítulo 1

[1] Extraído de *Not Quite What I Was Planning: Six-Word Memoirs by Writers Famous and Obscure*, editado por Rachel Fershleiser e Larry Smith (Nova York: HarperCollins, 2008).

[2] Gerald Hawthorne, *Colossians* (comentário de publicação independente, 2010).

[3] *Man's Search for Meaning* (Boston: Beacon Press, 2006 [publicado no Brasil sob o título *Em busca de sentido*, São Paulo: Vozes, 2009]), p. 66.

[4] "How to Make Choosing Easier", palestra TED, nov. de 2011, disponível em: <http:/www.ted.com/talks/sheena_iyengar_choosing_what_to_choose>. Acesso em: 28 de out. de 2016.

[5] Stephen Ko, "Bisociation and Opportunity", em *Opportunity Identification and Entrepreneurial Behavior*, ed. John E. Butler (Greenwich, CT: Information Age Publishing, 2004), p. 102.

[6] *Oh, the Places You'll Go!* (Nova York: Random House, 1990 [publicado no Brasil sob o título *Ah, os lugares aonde você irá*, São Paulo: Companhia das Letrinhas, 2001]), p. 6, 15, 20.

[7] "Os jovens adultos querem fazer seu próprio horário, apresentar-se para o trabalho de *jeans* e havaianas, e salvar o mundo enquanto estão na luta", Barna, "Millennials: Big Career Goals, Limited Job Prospects", 10 de jun. de 2014, disponível em: <https://www.barna.org/barna-update/millennials/671-millennials-big-career-goals-limited-job-prospects>. Acesso em: 28 de out. de 2016.

[8] "Called to the Future", manuscrito aceito para publicação em *Theology News & Notes* (Pasadena, CA: Fuller Theological Seminary, 2014).

Capítulo 2

[1] *Mindset: The New Psychology of Success* (Nova York: Ballantine, 2008), p. 3.

[2] *The Sacred Journey* (Nova York: HarperCollins, 1982), p. 104.

[3] *Matthew: A Commentary: The Churchbook: Matthew 13—28* (Grand Rapids, MI: Eerdmans, 1990), p. 805-806.

[4] "They Feel 'Blessed'", *New York Times*, 2 de mai. de 2014, disponível em: <http://www.nytimes.com/2014/05/04/fashion/blessed-becomes-popular-word-hashtag-social-media.html>. Acesso em: 28 de out. de 2016.

[5] Dr. Seuss, *One Fish, Two Fish, Red Fish, Blue Fish* (Nova York: Random House, 1960), p. 1, 13.

[6] Dr. Seuss, *Oh, the Places You'll Go!*, p. 5.

[7] James Dunn, *Word Biblical Commentary: Romans 1—8*, vol. 38A (Waco, TX: Word, 1988).

[8] "Spirituality and Recovery: The Historical Journey", em Ernest Kurtz, *The Collected Ernie Kurtz*, Hindsfoot Foundation Series on Treatment and Recovery (Nova York: Authors Choice, 2008), disponível em: <http://hindsfoot.org/tcek09.pdf>. Acesso em: 28 de out. de 2016.

[9] Ver *Oh, the Places You'll Go!*, p. 46-48.

Capítulo 3

[1] Geoffrey Mohan, "Facebook Is a Bummer, Study Says", *Los Angeles Times*, 14 de ago. de 2013, disponível em: <http://articles.latimes.com/2013/aug/14/science/la-sci-sn-facebook-bummer-20130814>. Acesso em: 28 de out. de 2016.

[2] Steven Furtick, citado em Bret e Kate McKay, "Fighting FOMO: 4 Questions That Will Crush the Fear of Missing Out", The Art of Manliness, 21 de out. de 2013, disponível em: <http://www.artofmanliness.com/2013/10/21/fighting-fomo>. Acesso em: 28 de out. de 2016.

[3] *The Sacred Journey* (Nova York: HarperCollins, 1982), p. 107.

[4] Chris Lowney, *Heroic Leadership* (Chicago: Loyola Press, 2003 [publicado no Brasil sob o título *Liderança heroica*, Rio de Janeiro: Edições de Janeiro, 2015]), p. 121, 129.

[5] Sam Whiting, "Muni Driver Will Make New Friends, Keep the Old", *San Francisco Chronicle*, 8 de set. de 2013, disponível em: <http://www.sfchronicle.com/bayarea/article/Muni-driver-make-new-friends-keep-the-old-4797537.php#/o>. Acesso em: 28 de out. de 2016.

Capítulo 4

[1] John Blake, "Actually, That's Not in the Bible", *CNN Belief Blog*, 5 de jun. de 2011, disponível em: <http://religion.blogs.cnn.com/2011/06/05/thats-not-in-the-bible>. Acesso em: 28 de out. de 2016.

[2] Gerald Hawthorne, *Colossians* (comentário de publicação independente, 2010), apêndice.

[3] *Bearing the Cross* (Nova York: Random House, 1988), p. 57-58.

[4] A história dos recabitas é narrada em Jeremias 35.1-19.

[5] *Decisive* (Nova York: Random House, 2013 [publicado no Brasil sob o título *Gente que resolve*, São Paulo: Saraiva, 2014]), p. 40-41.

[6] M. Craig Barnes atribui essa ideia a C. S. Lewis. Ver M. Craig Barnes, "One Calling of Many", *The Christian Century*, 19 de

mar. de 2014, disponível em: <http://www.christiancentury.org/article/2014-03/one-calling-many>. Acesso em: 28 de out. de 2016.
[7] *Telling Secrets* (San Francisco: HarperSanFrancisco, 1991), Harper Collins e-books edition.

Capítulo 5

[1] Citado em Dallas Willard, *Hearing God* (Downers Grove, IL: InterVarsity Press, 2012 [publicado no Brasil sob o título *Ouvindo Deus*, Viçosa, MG: Ultimato, 1999]), p. 180.
[2] Citado em Sheena Iyengar, *The Art of Choosing* (Nova York: Hachette, 2010 [publicado no Brasil sob o título *A arte da escolha*, Belo Horizonte: Unicult, 2013]), p. xvii.
[3] Dr. Seuss, *Oh, the Places You'll Go!*, p. 25.
[4] Barry Schwartz, "The Paradox of Choice", TED talk, jul. de 2005, disponível em: <http://www.ted.com/talks/barry_schwartz_on_the_paradox_of_choice>. Acesso em: 28 de out. de 2016.
[5] *Managing Corporate Lifecycles* (Santa Barbara, CA: Adizes Institute Publishing, 2004), p. 6.
[6] *Decisive*, p. 10.

Capítulo 6

[1] *The Bully Pulpit* (Nova York: Simon & Schuster, 2013), p. 44.
[2] Homilia XXXIII (sobre Hebreus 12.28-29).
[3] "When a Calling Becomes a Career", em *FULLER Magazine*, n.º 1, 2014, disponível em: <https://fullerstudio.fuller.edu/wp-content/uploads/2014/11/FULLER-Magazine-Issue-1.pdf>. Acesso em: 1 de mar. de 2017.
[4] Idem.
[5] Ryan Grenoble, "San Pedro Post Office Volunteers Have Been Giving Back to Community Since 1966", *Huffington Post*, 16 de ago. de 2012, disponível em: <http://www.

huffingtonpost.com/2012/08/16/san-pedro-volunteer-post-office-_n_1790883.html>. Acesso em: 28 de out. de 2016.

[6] "Century Marks", *Christian Century*, 16 de abr. de 2014, p. 9.

Capítulo 7

[1] *Memórias do subsolo*, parte 1, capítulo 11.

[2] *The Truth about You* (Nashville: Thomas Nelson, 2008 [publicado no Brasil sob o título *Desenvolva sua verdadeira vocação*, Rio de Janeiro: Sextante, 2013]), p. 41.

[3] *Matthew: A Commentary: The Churchbook: Matthew 13—28*, p. 332.

[4] Warren Sazama, S. J. "Some Ignatian Principles for Making Prayerful Decisions", disponível em: <http://www.marquette.edu/faith/ignatian-principles-for-making-decisions.php>. Acesso em: 28 de out. de 2010.

Capítulo 8

[1] *The Farther Reaches of Human Nature* (Nova York: Viking, 1971), p. 36.

[2] Idem, p. 36-37.

[3] *Jonah*, Brazos Theological Commentary on the Bible (Grand Rapids, MI: Brazos Press, 2008).

[4] Gregg Levoy, *Callings* (Nova York: Harmony Books, 1997), p. 190.

[5] Citado em Levoy, *Callings*, p. 191.

[6] William H. Myers, *God's Yes Was Louder than My No: Rethinking the African American Call to Ministry* (Trenton, NJ: Africa World Press, 1994), citado em Levoy, *Callings*, p. 199-200.

[7] O comentário de Phillip Cary sobre Jonas enfatiza a importância do emparelhamento de "grande" e "maldade" em Jonas 4.1. Ver Cary, *Jonah*.

Capítulo 9

[1] Ato V, cena II (trad. de Millôr Fernandes, disponível em: <http://www.encontrosdedramaturgia.com.br/wp-content/uploads/2010/10/Shakespeare-HAMLET-Tradu%C3%A7%C3%A3o-Mill%C3%B4r-Fernandes.pdf>. Acesso em: 28 de out. de 2016.

[2] *The Sacred Journey* (Nova York: HarperCollins, 1982), p. 108.

[3] Dr. Seuss, *How the Grinch Stole Christmas!* (Nova York: Random House, 1957 [publicado no Brasil sob o título *Como o Grinch roubou o Natal*, São Paulo: Companhia das Letrinhas, 2000]).

[4] "Think Small When You Dream Big", Praying Life Foundation, 13 de abr. de 2011, disponível em: <http://www.prayinglife.org/2011/04/think-small-when-you-drean-big/>. Acesso em: 28 de out. de 2016.

[5] Partes desta seção foram adaptadas de meu livro *Soul Keeping: Caring for the Most Important Part of You* (Grand Rapids, MI: Zondervan, 2014), p. 112-115.

[6] Citado em F. D. Bruner, *Matthew: A Commentary: The Churchbook: Matthew 13—28*, p. 780.

Capítulo 10

[1] Cornelius Plantinga Jr., *Reading for Preaching* (Grand Rapids, MI: Eerdmans, 2013), p. 62-63.

[2] Rabbi Stephen Pearce, "Mezuzot Remind Us That Doors Hold a Symbolic Meaning", Jweekly.com, 5 de ago. de 2004, disponível em: <http://www.jweekly.com/article/full/23315/mezuzot-remind-us-that-doors-hold-a-symbolic-meaning/>. Acesso em: 28 de out. de 2016.

[3] *Love Does* (Nashville: Thomas Nelson, 2012), p. 44-45.

Posfácio

[1] *Colossians* (comentário de publicação independente, 2010), apêndice.

[2] Os poemas neste capítulo se encontram na comovente obra devocional do dr. Jerry Hawthorne. Sou profundamente grato a ele por seus inspiradores *insights* acerca da natureza da passagem em Apocalipse 3 e por seus pensamentos particularmente importantes para este capítulo final.

Compartilhe suas impressões de leitura escrevendo para:
opiniao-do-leitor@mundocristao.com.br
Acesse nosso *site:* www.mundocristao.com.br

Equipe MC: Daniel Faria (editor)
Heda Lopes
Diagramação: Luciana Di Iorio
Preparação: Luciana Chagas
Revisão: Josemar de Souza Pinto
Gráfica: Imprensa da Fé
Fonte: ITC Berkeley Oldstyle Std
Papel: Chambril Avena 70 g/m^2 (miolo)
Cartão 250 g/m^2 (capa)